Horst Steibl

Training
Geometrie

Grundkonstruktionen
Figuren und ihre
Eigenschaften

7. SCHULJAHR
BEILAGE: LÖSUNGSHEFT

Ernst Klett Verlag
Stuttgart München Düsseldorf Leipzig

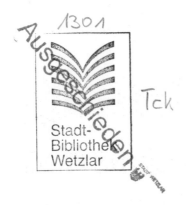

Dieses Werk folgt der reformierten
Rechtschreibung und Zeichensetzung.

Gedruckt auf Papier,
das aus chlorfrei gebleichtem
Zellstoff hergestellt wurde.

Die Deutsche Bibliothek – CIP-Einheitsaufnahme

Steibl, Horst:
Training Geometrie : Grundkonstruktionen, Figuren und ihre
Eigenschaften ; 7. Schuljahr / Horst Steibl. -
Stuttgart ; München ; Düsseldorf ; Leipzig : Klett, 1997
   ISBN 3-12-929258-6 kart.

1. Auflage 1997
Alle Rechte vorbehalten
Fotomechanische Wiedergabe nur mit Genehmigung des Verlages
© Ernst Klett Verlag GmbH, Stuttgart
Zeichnungen: Andreas Florian, Lübeck
Satz: Windhueter GmbH, Schorndorf
Druck: Wilhelm Röck, Weinsberg
Einband- und Innengestaltung: Bayerl und Ost, Frankfurt a.M.
ISBN: 3-12-929258-6

INHALT

Wahrscheinlich hast du im Laufe des 7. Schuljahrs bemerkt, dass dir irgendein Bereich der Geometrie Probleme bereitet – sei es beim Rechteck, Parallelogramm oder irgendein anderer Teilbereich.

Versuche mit dem Inhaltsverzeichnis dieses Trainingsbuches die geeignete Einstiegsstelle zu finden und starte mit dem Üben.

Aber du hast ja Wissenslücken, dir fehlen vielleicht sogar Grundlagen. Deshalb rate ich dir Folgendes: Versuche einmal zu den Aufgaben, die ihr gerade im Unterricht behandelt, die entsprechenden im Trainigsbuch zu lösen. Oder du arbeitest ganz einfach das Buch von vorne durch.

Du wirst sehen, dass auch die Wiederholung der einfachsten Grundlagen interessante Aufgaben möglich macht. Außerdem wirst du bald merken, dass Geometrie verständlich und trainierbar ist.

Wenn du dabei eine Aufgabe (oder eine ganze Reihe von Aufgaben) nicht verstehst, sieh nach, ob dir die Lösung zum Verständnis hilft. Falls nicht, kennzeichne diese Aufgabe, überschlage sie zunächst und gehe später an sie heran. Vielleicht hast du aber auch Freunde, die dir dabei helfen können, solche Aufgaben zu knacken.

Das Lösungsheft soll dir also einmal dazu dienen, deine Lösungen zu kontrollieren. Zum anderen sind besonders bei schwierigen Aufgaben Hilfen zum Verständnis angeboten.
Wenn deine zeichnerische Lösung nur geringfügig von der im Lösungsheft abweicht, so kannst du sie zunächst als richtig akzeptieren. Nimm dir jedoch vor die nächste Zeichnung noch sorgfältiger, d.h. eventuell auch langsamer zu konstruieren. Spitze deinen Bleistift; vielleicht brauchst du auch ein neues Geodreieck usw. Tipp: Benutze zum Zeichnen möglichst einen DIN-A4-Block, es sind z.T. große Figuren zu zeichnen.

Das Trainingsbuch selbst bietet auf verschiedene Arten Unterstützung den Lerneffekt zu vergrößern.
Einmal werden in schwierigen Fällen Tipps über die Vorgehensweise erteilt, wie du diese Aufgabe am besten „anpackst".
In den Merkkästen werden dann die Ergebnisse deines Lernens knapp zusammengefasst. Du kannst also beim Zurückblättern schnell noch einmal schauen, ob du dir alles richtig gemerkt hast.
Wenn du ein Thema ganz bearbeitet hast, bietet dir die Zusammenfassung am Ende des jeweiligen Kapitels alle wichtigen mathematischen Inhalte im Überblick.

Wenn du diese Ratschläge befolgst, bin ich sicher, dass dir das Trainingsbuch hilft ein guter Schüler in Geometrie zu werden.

Geraden, Kreise und ihre Schnittpunkte

Wir zeichnen mit dem Lineal **Geraden** und schlagen mit dem Zirkel **Kreise**.
Diese Geraden und Kreise können sich schneiden. Es entstehen **Schnittpunkte**.
Diese Schnittpunkte können wir zu neuen **Figuren** verbinden.
Geometrie ist die Kunst die richtigen Schnittpunkte zu finden und diese zu den
richtigen Figuren zu verbinden.

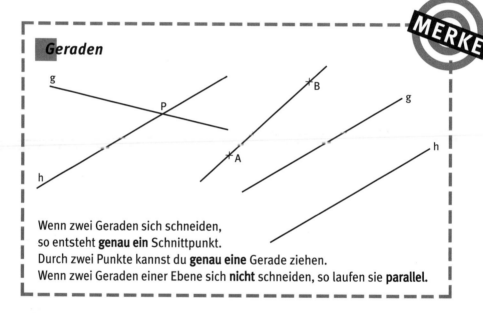

Geraden

Wenn zwei Geraden sich schneiden,
so entsteht **genau ein** Schnittpunkt.
Durch zwei Punkte kannst du **genau eine** Gerade ziehen.
Wenn zwei Geraden einer Ebene sich **nicht** schneiden, so laufen sie **parallel**.

AUFGABE

1 Zeichne drei Geraden so, dass sie sich in genau drei Punkten schneiden. Was
für eine Figur entsteht im Inneren? Wie viele Gebiete entstehen? Färbe sie mit
zwei Farben.

AUFGABE

2 Wie müssen die drei Geraden verlaufen, damit genau zwei Schnittpunkte entstehen (auch außerhalb deines Zeichenblattes soll kein dritter Schnittpunkt
möglich sein)? Zeichne!

AUFGABE 3

a) Zeichne drei Geraden, die genau einen Schnittpunkt haben. Wie viele Gebiete entstehen? Färbe abwechselnd mit zwei Farben.

b) Zeichne vier Geraden so, dass genau vier Schnittpunkte entstehen. Wie viele Gebiete entstehen? Es gibt zwei Möglichkeiten. Denke einmal an Parallelen, zum anderen an einen Schnittpunkt dreier Geraden.

AUFGABE 4

a) Zeichne vier Geraden mit möglichst vielen Schnittpunkten (also mit maximaler Anzahl). Es dürfen keine Parallelen auftreten. Durch einen Schnittpunkt gehen genau zwei Geraden. Wie viele Punkte findest du?

b) Du findest in der Figur Dreiecke und ein Viereck. Färbe die Dreiecke grün und das Viereck rot. Die äußeren Gebiete gehen ins Unendliche. Färbe sie abwechselnd gelb und schwarz.

AUFGABE 5

Zeichne nebeneinander:

a) Vier Geraden mit genau keinem Schnittpunkt.

b) Vier Geraden mit genau einem Schnittpunkt
(3, 4, 5, 6 Schnittpunkten).

AUFGABE 6

Vervollständige die Tabelle: g sei die Anzahl der Geraden, p sei die maximale Anzahl der Schnittpunkte.

g	1	2	3	4	5	6
p	0	1	3	...		

MERKE

Strecken

Punkte kennzeichnen wir durch ein **Kreuzchen** und bezeichnen sie mit Großbuchstaben wie A, B, C ...

Wir schreiben $\overline{AB}$ = 5 cm und lesen dies: Die **Länge** der Strecke von A nach B beträgt 5 cm.

Unter dem **Abstand** der Punkte A und B verstehen wir die Länge der Strecke $\overline{AB}$.

Geraden benennen wir mit Kleinbuchstaben wie g, h, k, l, m ...

a) Ziehe in der Abbildung alle Geraden, die durch zwei Punkte gehen. Wie viele neue Schnittpunkte findest du?

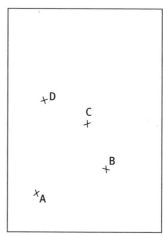

b) Übertrage die vier Punkte auf eine DIN-A4-Blatt so, dass du beim Zeichnen der Geraden wieder drei neue Schnittpunkte erhältst. Wie viele Geraden hast du gefunden?

c) Wie viele Punkte liegen auf jeder Geraden?

d) Du findest sechs geschlossene Dreiecke, färbe sie abwechselnd rot und grün.

e) Die außen liegenden Gebiete gehen ins Unendliche. Wie viele unendliche Gebiete findest du?

a) Verteile (ohne Zirkel) fünf Punkte so, dass sie etwa gleichmäßig auf einem gedachten Kreis liegen. Die Abstände benachbarter Punkte sollen etwa 5 cm betragen. Zeichne die fünf äußeren Geraden (nicht nur die Strecken) und hebe das Fünfeck rot hervor.

b) Zeichne nun die Geraden, auf denen je zwei nicht benachbarte Punkte liegen.
Auf diesen liegen die Diagonalen des Fünfecks. Hebe die Diagonalen grün hervor.

c) Wie viele Geraden kann man also maximal durch fünf Punkte eindeutig festlegen, wenn jede Gerade durch zwei dieser Punkte gehen soll?

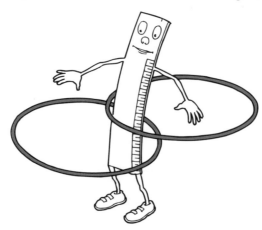

MERKE

n-Ecke

Dreiecke, Vierecke, Fünfecke usw. nennt man auch n-Ecke. Verbindet man zwei **nicht benachbarte** Punkte eines n-Ecks, so erhält man eine **Diagonale** dieses n-Ecks.

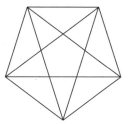

Fünfeck mit Diagonalen

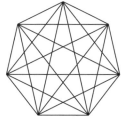

Siebeneck mit Diagonalen

AUFGABE

9

a) Zeichne mit dem Zirkel einen Kreis (Zirkelöffnung 5 cm) und verteile 7 Punkte möglichst gleichmäßig auf dem Kreisrand. Zeichne das Siebeneck und seine Diagonalen. Wie viele Diagonalen findest du?

b) Zeichne einen Kreis und sieben Punkte. Verbinde jeden Punkt mit dem übernächsten (überschlage jeweils einen Punkt). Zeichne so, dass der Streckenzug immer zusammenhängend bleibt.

MERKE

Sternfigur

Verbindet man n auf einem Kreis verteilte Punkte so, dass man jeweils einen Punkt (jeweils 2, 3, 4 ... Punkte) überschlägt, so erhält man meist eine **Sternfigur**. Wir nennen derartige Figuren auch **überschlagene** n-Ecke.

Im vierten Kapitel werden wir den **Kreis** genauer besprechen. Hier geht es zunächst um die Lage von Kreisen zueinander. Trotzdem solltest du die Konstruktionsregeln für den Kreis schon beachten.

MERKE

Lage zweier Kreise

Zwei Kreise können so liegen, dass sie **keinen** gemeinsamen Schnittpunkt haben
oder, dass sie sich in **einem** Punkt berühren,
oder, dass sie sich in **genau zwei** Punkten schneiden.

AUFGABE 10

Zeichne drei Kreise (r = 4 cm) so, dass möglichst viele Schnittpunkte entstehen. Wie viele Schnittpunkte findest du?

AUFGABE 11

Versuche zwei Kreise (r_1 = 4 cm, r_2 = 3 cm) so zueinander zu legen, dass sie sich in einem Punkt berühren. Eine genaue Lösung findest du später in Kapitel 4. Wie weit liegen die zwei Mittelpunkte auseinander?

AUFGABE 12

Zeichne die nebenstehende Figur: r_1 = 3 cm, r_2 = 5 cm. Wie groß muss der Radius des äußeren Kreises r_3 sein? Wie viele solcher Berührungspunkte entstehen?

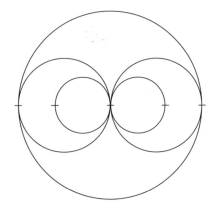

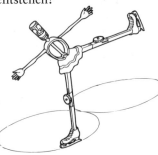

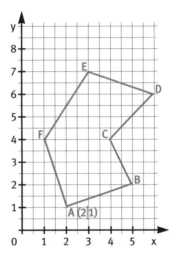

MERKE

Koordinatensystem

Legen wir in der Ebene ein Koordinatensystem fest, so lässt sich jeder Punkt durch ein Wertepaar (x|y) angeben: P (x|y). Wir beschränken uns zunächst auf das erste Viertel (den ersten Quadranten) des Koordinatensystems und haben damit nur Wertepaare mit positiven Koordinaten. Dabei gibt man den x-Wert (Rechtswert) und dann den y-Wert (Hochwert) an. Achte immer auf diese Reihenfolge.

AUFGABE 13

Lies die Koordinaten der Punkte A, B, C, D, E, F ab: A (2|...), ...

AUFGABE 14

Zeichne den ersten Quadranten eines Koordinatensystems (Einheit 1 cm) und die Punkte A (1|5), B (3|1), C (5|3), D (4|6), E (2|7) und verbinde sie zu einem Fünfeck. Zeichne alle Diagonalen und miss die längste davon.

AUFGABE 15

Durch Angabe zweier Punkte wird eine Gerade festgelegt. Zeichne die folgenden 3 Geraden und gib die Schnittpunkte P, Q, R an (Einheit 1 cm, d. h. zwei Kästchen).
g_1: A (1|1), B (5|3);
g_2: C (2|8), D (3|2);
g_3: E (2|5), F (12|3).
Miss die Seitenlängen des Dreiecks PQR.

Zusammenfassung

Begriffe	Erläuterungen	Beispiele
Lage von Geraden, Geraden und ihre Schnittpunkte	Schneiden sich zwei Geraden, so entsteht genau ein **Schnittpunkt**. Durch zwei beliebige Punkte einer Ebene kannst du genau eine Gerade ziehen. Wenn zwei Geraden an jeder Stelle denselben Abstand zueinander haben, so laufen sie **parallel**. **Geraden** kennzeichnen wir mit Kleinbuchstaben g, h, k, l.	
Punkte, Strecken, Abstände	**Punkte** kennzeichnen wir durch ein Kreuzchen und bezeichnen sie mit Großbuchstaben wie A, B, C, ..., P, Q, R. **Strecken** kennzeichnen wir durch die Angabe ihrer Endpunkte oder durch Kleinbuchstaben a, b, c ... Wir schreiben a = $\overline{AB}$ = 5 cm und lesen dies: die **Länge der Strecke** $\overline{AB}$ beträgt 5 cm. Unter dem **Abstand** der Punkte A und B meinen wir die Länge der Strecke $\overline{AB}$, selbst wenn diese nicht gekennzeichnet ist.	

Begriffe	Erläuterungen	Beispiele
Streckenzug, n-Eck, Diagonale	Verbinden wir n Punkte der Ebene durch einen geschlossenen **Streckenzug**, so entsteht ein n-Eck. Wenn wir im n-Eck zwei nicht benachbarte Punkte verbinden, so heißt diese Strecke **Diagonale**. Ein Dreieck hat keine Diagonale, ein Viereck hat zwei, ein Fünfeck hat fünf Diagonalen und ein Sechseck bereits neun. Wenn sich die Strecken eines n-Ecks überkreuzen, so sprechen wir von einem **überschlagenen n-Eck**.	Fünfeck
Kreise und ihre Schnittpunkte	Punkte können aber auch durch den Schnitt von Kreisen entstehen. Kreise können auch von Geraden geschnitten werden. Geometrische Konstruktionen ergeben sich immer aus solchen Schnitten von Geraden und Kreisen.	
Koordinatensystem, Wertepaar, Quadrant	Es gibt aber noch eine weitere Möglichkeit, Punkte einer Ebene festzulegen. Durch die Vorgabe eines **Koordinatensystems** können wir jeden Punkt P durch ein **Wertepaar** $(x \mid y)$ beschreiben. Wir schreiben etwa P $(1 \mid 5)$.	

Begriffe	Erläuterungen	Beispiele
	Dabei beschränken wir uns aber zunächst auf ein Viertel der Ebene, auf den ersten **Quadranten.** **Geraden** legen wir dann durch die Angabe **zweier Punkte** fest. So etwa die Gerade g: P (1|5), Q (4|2).	

Test der Grundaufgaben

TESTAUFGABE

1

Zeichne die Strecke $\overline{AB}$ = 7 cm. Zeichne Kreise um A mit r_1 = 5 cm und um B mit r_2 = 3,5 cm. Die Schnittpunkte der Kreise heißen R und S. Zeichne das Viereck aus den Punkten A, R, B und S. Miss die Seiten und die Diagonalen.

TESTAUFGABE

2

Zeichne $\overline{AB}$ = 5 cm. Zeichne um A und B Kreise mit r = 5 cm. Die Schnittpunkte nenne R (oben) und S (unten). Zeichne um S noch einen Kreis mit r = 5 cm. Verbinde die 6 Schnittpunkte der Kreise untereinander. Wie viele Dreiecke erhältst du?

TESTAUFGABE

3

Zeichne in einem Koordinatensystem die Gerade g durch A (1\|5) und durch B (4\|2). Zeichne eine zweite Gerade h durch P (1\|0) und Q (5\|6). Wie heißen die Koordinaten des Schnittpunktes S?

Senkrecht – parallel – spiegelbildlich

AUFGABE

1

a) Nimm ein Blatt Papier, reiße den geraden Rand rings herum ab und falte einen rechten Winkel.

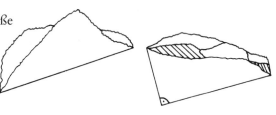

b) Wie viele gleich große Winkel liegen beim Faltwinkel übereinander?

c) Falte deinen Faltwinkel ganz auf und wiederhole den Vorgang folgendermaßen: Auffalten – längs einer Geraden falten – auffalten – längs der anderen Gerade falten.

MERKE

Senkrecht

Zwei Geraden stehen senkrecht aufeinander, wenn beim Falten längs einer Geraden die beiden Teile der anderen Gerade aufeinander fallen.
Das Zeichen für Senkrechtstehen ist ⊥. Den rechten Winkel kennzeichnen wir durch ⊾.

AUFGABE

2

Nimm ein DIN-A4-Blatt, falte es wie in der Abbildung in g, legen den Punkt P fest und falte so, dass eine 2. Gerade h durch P läuft, die senkrecht auf der 1. Geraden steht.

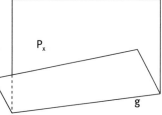

Durch einen Punkt P kann man zu einer Geraden **genau eine** Senkrechte zeichnen.

AUFGABE 3

Zeichne mit dem Geodreieck eine „rechteckige" Spirale. Beginne mit 1 cm, 1 cm, 2 cm, 2 cm, 3 cm, 3 cm, ... bis 10 cm, 10 cm.

Hinweis: Spiegelachse deines Geodreiecks auf die zuletzt gezeichnete Strecke legen!

Wie groß ist der Abstand von dem Anfangspunkt der ersten 1-cm-Strecke bis zum Endpunkt der letzten 10-cm-Strecke?

AUFGABE 4

a) Zeichne eine solche Spirale von außen nach innen. Nun soll **jede** Strecke um 1 cm kürzer werden. Beginne mit 14 cm (13 cm, 12 cm, ...). Die letzte Strecke soll 1 cm lang sein.

b) Wie groß ist der Abstand Anfangspunkt – Endpunkt?

AUFGABE 5

a) Zeichne wie im folgenden Merkkasten eine Gerade g und einen Punkt P, der nicht auf g liegt. Zeichne mit dem Geodreieck die Strecke $\overline{PC}$ mit C auf g, die senkrecht auf g steht. Diese Strecke heißt das Lot von P auf g.

b) Miss im Merkkasten die Strecken $\overline{PA}$, $\overline{PB}$, $\overline{PC}$, $\overline{PD}$. Welches ist die kürzeste?

Kürzeste Entfernung eines Punktes

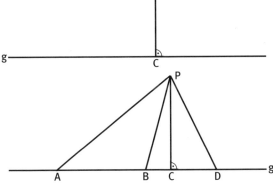

Das Lot von P auf g ist die kürzeste Verbindung des Punktes P mit der Geraden g. Diese kürzeste Entfernung heißt **Abstand** des Punktes P von der Geraden g.

AUFGABE

6 Zeichne ein Rechteck aus a = 10 cm und b = 7 cm und zeichne **eine** Diagonale ein. Fälle von den 2 Eckpunkten, die nicht auf der Diagonale liegen, die Lote auf die Diagonale. Wie lang sind diese?

AUFGABE

7 Zeichne mit den Spitzen deines Geodreiecks einen „halben" rechten Winkel (s. Abb.). Lege auf g den Punkt B so fest, dass $\overline{AB}$ = 10 cm ist. Fälle von B das Lot auf h. Von diesem Fußpunkt sollst du das Lot auf g fällen, dann wieder auf h usw., bis das Lot kürzer als 1 cm ist. Wie viele Lote kannst du fällen? Wie lang sind sie jeweils?

8

Zeichne ein Rechteck aus a = 20 cm, b = 14 cm und eine Diagonale. Fälle wie in Aufgabe 6 und 7 fortlaufend das Lot auf die Diagonale – auf die Seite – Diagonale – Seite ... und miss diese, bis das Lot kleiner als 1 cm ist. Wie viele Lote hast du in jedem Dreieck gefällt?

9

a) Nimm ein DIN-A4-Blatt, zeichne etwa in der Mitte leicht schräg eine Gerade g und lege auf ihr A und B so fest, dass $\overline{AB}$ = 7 cm etwa in der Mitte des Blattes liegt. Falte eine Spiegelachse h für g durch A; falte auf und falte eine andere Spiegelachse m für g durch B.

b) Wie viele Spiegelachsen könntest du für g finden?

c) Vergleiche den Verlauf der beiden Faltgeraden h und m, die senkrecht auf g stehen.

d) Was geschieht mit h und m, wenn du längs g faltest?

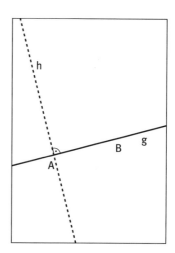

Parallelen

Zwei Geraden laufen parallel, wenn sie auf einer 3. senkrecht stehen. Laufen zwei Geraden parallel, so ist für alle Punkte dieser Geraden der Abstand von den gegenüberliegenden Geraden gleich. Man sagt, Parallelen haben überall den gleichen Abstand.

MERKE

10

In der folgenden Abbildung findest du zwei spiegelbildliche Figuren. Punkte, die beim Falten längs der Spiegelachse zusammenfallen, bezeichnen wir als **entsprechende Punkte**. Für „A fällt auf P" schreiben wir A′ = P; umgekehrt gilt auch P′ = A; denn P fällt auf A. Für „B wird auf O abgebildet" schreiben wir: B′ = O. Wir lesen dies auch: **O ist das Bild von B. B ist das Urbild.**

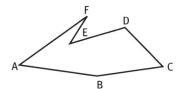
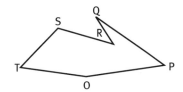

Schreibe für alle Punkte der obigen Abbildung derartige Gleichungen der Form T′ = C, C′ = T.

Spiegelung

Gegeben sei eine Gerade g. Eine Abbildung der Ebene auf sich, die jedem Punkt P seinen Bildpunkt P′ so zuordnet, dass beim Falten längs g die Punkte P und P′ aufeinander fallen, heißt Spiegelung an g. Wir schreiben kurz S(g).

Bei einer Spiegelung S(g) an der Spiegelachse g gilt:

1. Alle Punkte auf der Spiegelachse werden auf sich abgebildet. Wir sagen auch: Alle Punkte der Spiegelachse sind **Fixpunkte**. Die Spiegelachse ist **Fixpunktgerade**.
2. Die Verbindungsstrecke zweier entsprechender Punkte steht senkrecht auf der Spiegelachse und wird von ihr halbiert. Das bedeutet auch: Alle Senkrechten zur Spiegelachse sind **Fixgeraden** und g halbiert die Strecke $\overline{PP'}$.

Beachte

Zur Konstruktion von Bildpunkten legen wir das Geodreieck mit seiner Spiegelachse auf die Spiegelachse der Konstruktion, verschieben es so, dass wir die Abstände nach beiden Seiten gleichmäßig abmessen können.

11 Eine Spiegelachse g kann außerhalb einer Figur liegen oder durch eine Figur hindurch gehen.

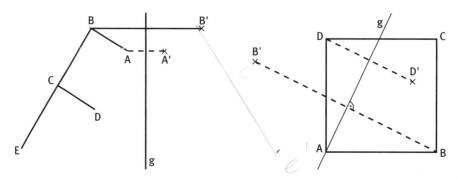

a) Ergänze die beiden Zeichnungen spiegelbildlich. Bezeichne den Bildpunkt von C mit C′, den von D mit D′, den von E mit E′ usw.

b) Miss beim Quadrat die Längen der Verbindungsstrecken entsprechender Punkte.

12 a) Zeichne ein Quadrat a – 7 cm und lege die Spiegelachse wie in Aufgabe 11 durch einen Eckpunkt und die Mitte einer nicht benachbarten Seite. Spiegele. Miss den größten Abstand zweier entsprechender Punkte.

b) Zeichne ein Quadrat mit a = 7 cm und lege die Spiegelachse durch die Mitte zweier benachbarter Seiten. Spiegele. Wie groß ist der größte Abstand zweier entsprechender Punkte?

c) Zeichne ein Rechteck mit a = 10 cm und b = 7 cm und lege die Spiegelachse durch die Mitte zweier benachbarter Seiten. Spiegele!

d) Zeichne ein Rechteck mit a = 7 cm und b = 5 cm und lege die Spiegelachse durch die Mitte der kleineren Seite und einen der gegenüberliegenden Eckpunkte. Spiegele das Rechteck. Miss den größten Abstand entsprechender Punkte.

13 a) Zeichne ein Rechteck (rot) a = 10 cm, b = 7 cm und lege eine Spiegelachse s durch eine Diagonale fest. Zeichne das Spiegelbild bezüglich dieser Geraden grün.

b) Wie groß ist der Abstand Punkt–Bildpunkt für die Eckpunkte, die nicht auf der Spiegelachse liegen?

c) Zeichne ein Quadrat mit a = 7 cm und spiegele es an einer Diagonalen. Was gilt für die zweite Diagonale?

MERKE

Sonderform des Rechtecks

Im Rechteck ist die Diagonale nur dann Spiegelachse, wenn das Rechteck ein Quadrat ist.

AUFGABE

14 Gegeben sei eine Spiegelachse s und zwei Punkte P, Q auf s mit $\overline{PQ}$ = 6 cm.

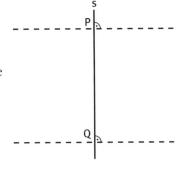

a) Zeichne ein Rechteck, für das s Spiegelachse ist, dessen 2 Seiten durch P und Q gehen und dessen Länge 10 cm beträgt. Die Breite ist durch die Länge $\overline{PQ}$ festgelegt.

b) Zeichne auch die waagerechte Mittellinie ein. Welche Funktion hat diese Linie hier auch?

c) Zeichne die Diagonalen und miss die Länge ihrer Abschnitte. Was stellst du fest?

d) Zeichne einen Kreis um das Rechteck.

MERKE

Mittellinien

Im Viereck heißt die Verbindungslinie gegenüberliegender Seitenmitten **Mittellinie**. Im Rechteck sind beide Mittellinien Spiegelachsen. Daraus folgt: Die Diagonalabschnitte sind gleich lang und können als Radius des Umkreises genutzt werden. Das Rechteck hat einen Umkreis.

Spiegele das Dreieck P (3|1), Q (6|2),
R (5|4) an der Geraden s durch
A (2|2), B (7|7) und gib die Koordina-
ten der Bildpunkte P′, Q′, R′ an.

Zeichne ein Dreieck A (1|2), B (4|4),
C (2|6) und spiegele an der Geraden
durch R (1|0), S (7|6).

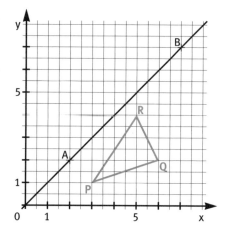

Zusammenfassung

Begriffe	Erläuterungen	Beispiele
Faltwinkel, Senkrechte, Lot, Parallele	Wir falten den **Faltwinkel** und stellen fest: Zwei Geraden stehen **senkrecht** aufeinander, wenn beim Falten längs einer Geraden die beiden Teile der anderen aufeinander fallen.	
	Für das Senkrechtstehen haben wir das Zeichen ⊥. Den rechten Winkel kennzeichnen wir mit ⦜. Mit dem Geodreieck zeichnen wir zu einer Geraden g und einem festen Punkt P genau eine Senkrechte. Die Strecke von P bis zur Geraden g heißt **Lot von P auf g**. Das Lot ist die kürzeste Verbindung von P und g. Diese Entfernung heißt **Abstand**	

Begriffe	Erläuterungen	Beispiele
	des Punktes P von der Geraden g.	
	Zeichnen wir zu einer Geraden eine Senkrechte und zu dieser zweiten eine weitere Senkrechte, so erhalten wir zwei Parallelen, die von einer dritten Geraden senkrecht geschnitten werden. Parallelen haben immer den gleichen Abstand.	
Faltachse, Spiegelachse, entsprechende Punkte	Wenn beim Falten einer Figur die beiden Teile der Figur genau aufeinander passen, so heißt diese **Faltgerade s Spiegelachse** der Figur. Punkte, die beim Falten aufeinander fallen, bezeichnen wir als **entsprechende Punkte**. Für „A fällt auf Q" schreiben wir A′ = Q. A ist dann das Urbild, Q ist das Bild bei dieser Zuordnung. Umgekehrt ist dann auch Q′ = A.	
Spiegelung	Eine solche Zuordnung heißt dann **Spiegelung**. Eine Spiegelung ist festgelegt durch eine Spiegelachse. Die Punkte der Spiegelachse bleiben fix.	

Begriffe	Erläuterungen	Beispiele
Fixpunktgerade, Fixgerade, Punkt–Bildpunkt	Die Spiegelachse ist **Fixpunktgerade**. Jede Senkrechte zur Spiegelachse ist nur **Fixgerade**. Alle Punkte bleiben auf ihr, vertauschen aber ihre Lage. Die Spiegelachse **halbiert** die Strecke **Punkt–Bildpunkt**. Man kann eine ganze Figur (d.h. eigentlich die ganze Ebene) spiegeln, man kann aber auch nur in einer Figur die Spiegelachse suchen.	
Spiegelachsen im Rechteck und in der Raute	Im **Rechteck** sind die **Mittellinien** Spiegelachsen, die Diagonalen im Allgemeinen nicht. Sind die **Diagonalen** Spiegelachsen, so handelt es sich um eine **Raute**. Wenn Diagonalen und Mittellinien Spiegelachsen sind, so liegt ein Quadrat vor.	
Spiegelung im Koordinatensystem	Natürlich kann man auch Figuren im Koordinatensystem spiegeln. Wenn die Bildpunkte ganzzahlige Koordinaten haben sollen, muss die Spiegelachse besonders liegen. (Später werden wir sie auch anders legen.)	

Test der Grundaufgaben

TESTAUFGABE
1

Auf einer lotrechten Geraden s liegen die Punkte P und Q mit $\overline{PQ}$ = 5 cm.
$\overline{PQ}$ ist Mittellinie eines symmetrischen Vierecks. Die Seite, auf der Q liegt, ist
6 cm lang. Die Seite, auf der P liegt, ist 8 cm lang. Zeichne das Viereck und
miss die nichtparallelen Seiten.

TESTAUFGABE
2

Zeichne ein Rechteck aus a = 7 cm und b = 9 cm. Zeichne eine Diagonale
und fälle von einem nicht beteiligten Eckpunkt das Lot auf diese Diagonale.
Miss die Länge dieses Lotes. Zeichne dann auch den Umkreis und miss die
Länge des Radius.

TESTAUFGABE
3

Zeichne ein Rechteck mit a = 8 cm und b = 4 cm. Spiegele es an der Diagonalen $\overline{AC}$. Miss den Abstand $\overline{BB'}$.

TESTAUFGABE
4

Von einem Rechteck im Koordinatensystem sind die 3 Punkte A (3|4),
B (4|5) und C (2|7) gegeben. Zeichne und lies die Koordinaten des Punktes
D ab. Spiegele das Rechteck an der Geraden durch P (2|1) und Q (8|7). Wie
heißen die Koordinaten der Bildpunkte?

Winkel und Geraden

In der Abbildung bestimmen die zwei von dem Punkt S ausgehenden **Halbgeraden** g, h die zwei Winkel α und β. Wenn wir es nicht ausdrücklich anders betonen, verstehen wir unter ∢ (g, h) immer den kleineren der beiden Winkel, also ∢ (g, h) = α.

MERKE

Winkel

S heißt **Scheitelpunkt**, g und h heißen **Schenkel** des Winkels. Winkel werden mit griechischen Buchstaben bezeichnet:

α (alpha); β (beta); γ (gamma); δ (delta); ε (epsylon); ω (omega).

Als **Maß** eines Winkels dient der 90ste Teil des rechten Winkels, bzw. der 360ste Teil des Vollwinkels.

Wir schreiben α = 70° und lesen dies: Die Größe des Winkels α beträgt 70°.

AUFGABE

1

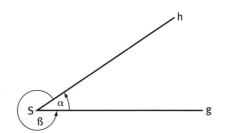

Zeichne eine Gerade g und auf g den Punkt P. Lege das Geodreieck wie in der Abbildung mit dem Nullpunkt auf P.

Drehe es um P um 30° gegen den Uhrzeigersinn, korrigiere den Nullpunkt und überprüfe noch einmal die Anzeige 30°. Dann zeichne die Gerade h. Der Winkel zwischen g und h ∢ (g, h) ist dann 30°.

Wiederhole diesen Vorgang noch zweimal, indem du jedes Mal dein Geodreieck um P um 30° weiterdrehst und die Geraden i, k zeichnest. Prüfe, ob du bei 3 · 30° = 90° angelangt bist.

AUFGABE

2 Beginne wie in Aufgabe 1. Drehe nun aber um 15° im Uhrzeigersinn (rechts herum). Wiederhole dies so oft, bis du insgesamt einen rechten Winkel erreicht hast.
Wie viele Geraden hast du gezeichnet?

AUFGABE

3 Zeichne eine Gerade g und auf g den Punkt P. Zeichne wie vorher Geraden durch P, indem du jedesmal um 20° gegen den Uhrzeigersinn weiterdrehst. Wiederhole dies so oft, bis die Gesamtdrehung zum ersten Mal größer als 90° ist.
Wie viele Geraden hast du gezeichnet?
Wie groß ist die Gesamtdrehung?

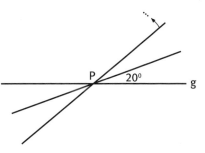

Winkelarten

Man kann einen Winkel durch Drehung einer Geraden (bzw. Halbgeraden) erzeugen, dann ist er orientiert. Er ist **positiv**, wenn er durch eine Drehung **gegen** den Uhrzeigersinn entsteht. Er ist **negativ**, wenn die Drehung **im** Uhrzeigersinn erfolgt. Wir werden hier aber nur das absolute Maß der Winkel betrachten (d. h. ohne Vorzeichen).

spitzer Winkel
$0° < \alpha < 90°$

rechter Winkel
$\beta = 90°$

stumpfer Winkel
$90° < \gamma < 180°$

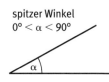

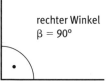

gestreckter Winkel
$\delta = 180°$

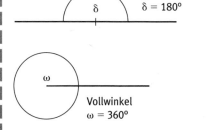

Vollwinkel
$\omega = 360°$

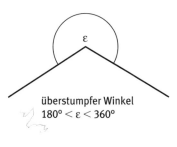

überstumpfer Winkel
$180° < \varepsilon < 360°$

a) Schreibe für den spitzen Winkel einen Satz:
Das Maß eines spitzen Winkels liegt zwischen …

b) Schreibe einen entsprechenden Satz (siehe Merkkasten) für γ und ε (für den stumpfen und den überstumpfen Winkel).

Zeichne ein Rechteck aus a = 20 cm und b = 12 cm und die beiden Diagonalen. Miss die vier Winkel im Schnittpunkt der Diagonalen und vergleiche sie.

Was kannst du sagen

a) zur Größe zweier gegenüberliegender Winkel (Scheitelwinkel),

b) zur Größe zweier nebeneinander liegender Winkel (Nebenwinkel),

c) zur Summe aller Winkel?

d) Miss die Länge der Diagonalen und der vier Diagonalenabschnitte.

Verhältnis von Winkeln zueinander

MERKE

Schneiden sich zwei Geraden nicht rechtwinklig, so entstehen zwei gleich große spitze und zwei gleich große stumpfe Winkel.

Zwei Winkel, die nebeneinander liegen und sich somit zu 180° ergänzen, heißen **Nebenwinkel**.

Gegenüberliegende Winkel heißen **Scheitelwinkel**. Scheitelwinkel sind gleich groß.

Es gibt zwei Möglichkeiten des Messens bzw. Antragen eines Winkels:

Gehe so vor: ▶ Du kannst einen Winkel auf zwei Arten messen bzw. antragen. Einmal drehst du um A das Geodreieck von einem Schenkel des Winkels zum zweiten. Zum anderen legst du das Geodreieck mit dem Maßstab so auf einen Schenkel, dass du den Winkel gleich ablesen kannst.

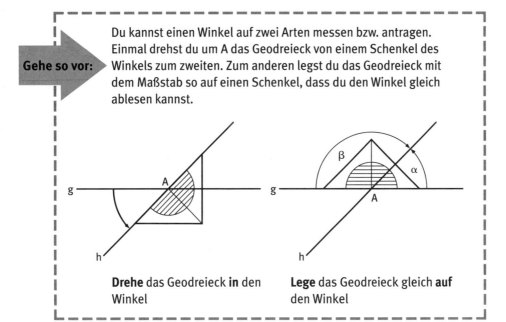

Drehe das Geodreieck **in** den Winkel

Lege das Geodreieck gleich **auf** den Winkel

AUFGABE
6

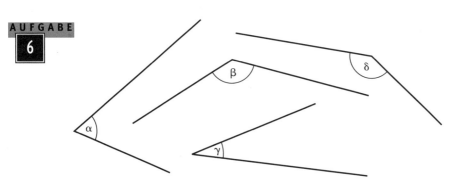

a) Ordne nach Augenmaß diese vier gezeichneten Winkel der Größe nach. Beginne mit dem kleinsten ... < ... < ... < ...

b) Schreibe 4 Sätze:
  ... ist spitz; bzw. ... ist stumpf. usw. ...

c) Schätze die Größe der Winkel und schreibe die Schätzwerte auf!

d) Miss die Größe und vergleiche mit den Schätzwerten.

> Du sollst bei allen Winkelmessungen die Größe des Winkels **vorher abschätzen** und deinen Schätzwert **notieren** und mit dem gemessenen Wert **vergleichen**.
>
> **Beachte**
>
> Beim Messen eines Winkels zeigt der Winkelmesser gleichzeitig den **Winkel und Nebenwinkel** an. Du kannst daher leicht den falschen Winkel messen. Entscheide darum immer **vor** dem Messen, ob der Winkel kleiner oder größer als 90° ist.
> Besonders bei Winkel in der Nähe von 90° ist die Verwechslungsgefahr groß!

AUFGABE 7

a) Die Diagonalen eines Rechtecks e und f schneiden sich unter einem Winkel von 35°. Jede Diagonale ist 10 cm lang, jeder Diagonalabschnitt also 5 cm lang. Konstruiere das Rechteck und miss die Seitenlängen.

b) Eine Diagonale im Rechteck teilt den rechten Winkel in zwei Teilwinkel. Schätze im obigen Rechteck die Größe der Teilwinkel und überprüfe deine Schätzungen durch Messung.

AUFGABE 8

a) Zeichne ein Rechteck mit den Seitenlängen a = 12 cm und b = 9 cm. Zeichne die Diagonalen und kennzeichne die Winkel wie in der Abbildung. Miss alle 12 Winkel.

b) Wie groß ist Winkel 1? Welche Winkel sind genauso groß?

c) Welche Winkel sind so groß wie Winkel 8?

d) Schreibe noch zwei Gleichungen für die fehlenden Winkel 9 bis 12.

AUFGABE 9

a) Zeichne zum Ausschneiden ein Rechteck mit a = 14 cm und b = 5 cm und die zwei Diagonalen.

b) Färbe gleich große Winkel jeweils in der Nähe ihres Scheitelpunktes mit gleicher Farbe. Wie viele Farben brauchst du?

c) Miss einen Winkel jeder Farbe.

d) Falte das Rechteck so, dass zwei gleich große Teile aufeinander fallen. Du findest zwei Faltachsen (Spiegelachsen oder Symmetrieachsen). Überprüfe, ob gleich gefärbte Winkel aufeinander fallen. Falte auch so, dass vier gleich große Winkel aufeinander fallen.

10

a) Zeichne und löse wie in Aufgabe 9: Rechteck mit a = 12 cm, b = 5 cm.

b) Löse genauso: Rechteck mit a = 8 cm, b = 6 cm.

AUFGABE
11

a) Konstruiere ein Rechteck: Die Diagonale e = 9 cm bildet mit der Seite a einen Winkel von 35° (e = 9 cm, ⦞ (e, a) = 35°).

b) Miss die Seite des Rechtecks und die Winkel zwischen den Diagonalen.

AUFGABE
12

a) Zeichne eine Gerade g und auf ihr die Strecke $\overline{OP}$ = 5 cm. Lege dein Geodreieck mit dem Nullpunkt in P an g an und drehe es um 60°. Nun zeichne die Gerade h durch P. Zeichne auf h die Strecke $\overline{PQ}$ = = 5 cm. Fahre entsprechend fort: In Q um 60° gegen den Uhrzeigersinn drehen, Strecke von 5 cm abtragen, im neuen Punkt um 60° drehen ...

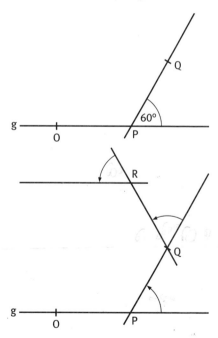

b) Wenn du genau gezeichnet hast, so kommst du wieder auf g in O an. Um wie viel Grad hast du insgesamt gedreht, wenn du wieder in Richtung P schaust?

c) Wie viele Geraden hast du gezeichnet? Wie heißt die Figur im Innern?

Winkel in n-Ecken

Eine Volldrehung beträgt 360°. Willst du dich durch n gleich große Richtungsänderungen einmal um dich selbst drehen, so muss jede Drehung 360° : n betragen. Beim Durchlaufen eines n-Ecks ist also die Summe der Richtungsänderungen 360°. So ist z. B. bei einem regelmäßigen Sechseck die Richtungsänderung an jeder Ecke $\frac{360°}{6} = 60°$.

AUFGABE 13

a) Um wie viel Grad musst du das Geodreieck jedes Mal drehen um ein 8-Eck zu erhalten?

b) Berechne die Richtungsänderung an einer Ecke eines regelmäßigen 10-Ecks; (entsprechend 12-Eck, Dreieck, Viereck).

AUFGABE 14

$\overline{OP}$ soll 6 cm lang sein, die Richtungsänderung jeweils 45°. Du willst eine geschlossene Figur erhalten. Überlege vorher.

a) Wie oft musst du drehen um einmal herum zu kommen, also die Richtung der 1. Gerade wieder zu erreichen?

b) Was für eine Figur entsteht im Inneren? Zeichne.

c) Wie groß ist ein Winkel im Inneren?

d) Addiere die Maßzahl aller Innenwinkel.

Nebenwinkel

Die **Richtungsänderung** im Scheitelpunkt eines Winkels wird durch den **Außenwinkel** gemessen. Der Winkel **zwischen** den Schenkeln heißt dann auch **Innenwinkel**.
Außenwinkel und Innenwinkel sind Nebenwinkel. Sie ergänzen sich also zu 180°.

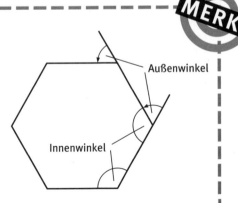

Außenwinkel

Innenwinkel

15

a) Du sollst nach 5 Drehungen wieder in die Richtung der ersten Geraden schauen. Wie groß muss der Drehwinkel jeweils sein? $\overline{OP}$ soll 7 cm betragen. Zeichne.

b) Miss die Innenwinkel des Fünfecks und addiere alle fünf Innenwinkel.

Bei jedem dieser n-Ecke beträgt beim Umwandern die Summe aller Richtungsänderungen stets 360°.

Umlaufsinn der Figuren

Die positive bwz. negative Orientierung wurde bei den Winkeln gezeigt. Entsprechendes gilt für den so genannten **Umlaufsinn** einer Figur. Erfolgt die alphabetische Benennung der Punkte **gegen** den Uhrzeigersinn, so ist der Umlaufsinn **positiv** (+), erfolgt sie **im** Uhrzeigersinn, so hat die Figur einen **negativen** Umlaufsinn (–). Geometrische Figuren werden im Allgemeinen mit positivem Umlaufsinn angegeben.

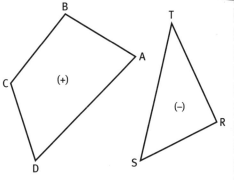

16

In einem Dreieck ist die Summe der drei Richtungsänderungen und der drei Innenwinkel $3 \cdot 180° = 540°$. Die Summe der drei Richtungsänderungen beträgt 360°. Subtrahiere die Volldrehung von 540°. Wie groß ist in der Abbildung die Summe der Innenwinkel? Welchen Umlaufsinn hat das Dreieck?

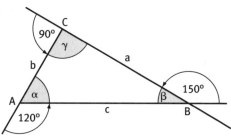

Du sollst ein Dreieck zeichnen. Wähle die Benennungen wie in der vorigen Abbildung. Zeichne die Strecke $\overline{AB}$ = 10 cm. Trage in A an $\overline{AB}$ den Winkel α = 60° und in B an $\overline{AB}$ den Winkel β = 30° an. Zeichne auch die Außenwinkel ein und trage die entsprechenden Winkelmaße ein. Wie groß muss γ sein? Rechne erst und miss dann nach. Miss auch a und b. Welchen Umlaufsinn hat das Dreieck ABC?

Winkelsumme im Dreieck

Im Dreieck beträgt die Summe der Innenwinkel 180°.

---

a) Löse entsprechend der Aufgabe 17. $\overline{AB}$ = 7 cm, α = 45°, β = 90°. Überlege vorher! Wie groß muss γ sein? Zeichne, überprüfe γ und miss a und b.

b) $\overline{AB}$ = c = 10 cm, α = 20°, β = 70°

c) $\overline{AB}$ = c = 7 cm, α = 60°, β = 60°

Denke an die Winkelsumme im Dreieck und berechne den fehlenden Winkel.
Zeichne dann das Dreieck und überprüfe den Winkel γ.

a) $\overline{AB}$ = c = 10 cm, α = 40°, γ = 80°

b) $\overline{AB}$ = c = 8 cm, β = 72°, γ = 55°

c) $\overline{AB}$ = c = 9 cm, β = 75°, γ = 51°

Konstruktion eines Dreiecks

Durch Angabe einer Seite und zweier Winkel ist ein Dreieck konstruierbar.
Wir nennen diese Konstruktionsmöglichkeit kurz:

Winkel – Seite – Winkel (WSW).

AUFGABE

20
Zeichne ein Viereck wie in der Abbildung aus
a = 5 cm, α = 110°, β = 85°, b = 6 cm und
d = 4 cm. Zeichne die Diagonale $\overline{BD}$ und miss die
6 Winkel der beiden Dreiecke. Addiere alle 6 Winkel der Figur. Welche Winkelsumme muss sich für
ein Viereck ergeben?

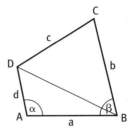

Winkelsumme im Viereck

Im Viereck beträgt die Winkelsumme 2 · 180° = 360°.

AUFGABE

21
Wir wollen einen Kreis in neun gleich große
Sektoren teilen. Dann muss jeder Sektor
einen Winkel von 360° : 9 = 40° bilden.
Zeichne einen Kreis mit r = 7 cm, zeichne
einen Radius ein. Lege das Geodreieck an
und markiere bei 40°, 80°, 120°, 160°.
Fahre entsprechend fort. Verbinde die neun
Kreispunkte und miss die Seitenlängen des
9-Ecks. Wenn du genau gezeichnet hast,
müssten alle Seiten gleich lang sein.

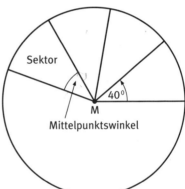

Kreissektor

Ein von zwei Radien begrenzter Kreisausschnitt heißt **Sektor**. Der Winkel
zwischen zwei Radien heißt **Mittelpunktswinkel**. Wenn wir einen Kreis in n
gleich große Sektoren teilen wollen, muss jeder Sektor einen Winkel von
360° : n einschließen. Teilen wir z.B. einen Kreis in 5 gleich
große Sektoren, so ist jeder Mittelpunktswinkel 360° : 5 = 72°.

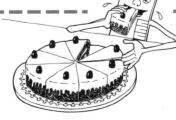

22

a) Zeichne einen Kreis mit r = 6 cm und teile ihn entsprechend in sechs Sektoren.

b) Miss die Seitenlängen deines Sechsecks. Was fällt dir auf?

23

Zeichne den ersten Quadranten eines Koordinatensystems (x-Achse und y-Achse) mit der Einheit 1 cm (2 Kästchen). Zeichne die Strecke $\overline{AB}$ mit A(4|6) und B (3|8) und den Punkt D (1|3). Verbinde D mit A und drehe die Strecke $\overline{DA}$ um −90° (also im Uhrzeigersinn, in negativer Richtung). Verfahre entsprechend mit $\overline{DB}$. Gib die Koordinaten der Bildpunkte an. Welchen Umlaufsinn hat das Dreieck DAB, welchen das Dreieck D'A'B'?

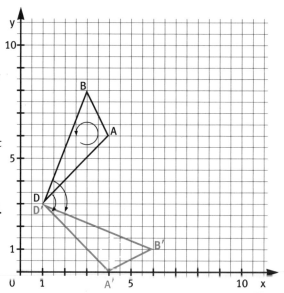

Drehung

Drehung links herum – gegen den Uhrzeigersinn – **positive Drehung**
Drehung rechts herum – im Uhrzeigersinn – **negative Drehung**

MERKE

24

Spiegele das Dreieck P (3|1), Q (6|2), R (5|4) an der Geraden s durch A (2|2), B (7|7) und gib die Koordinaten der Bildpunkte P', Q', R' an. Bestimme den Umlaufsinn des Dreiecks ABC und des Dreiecks A'B'C'.

3

25 Zeichne das Dreieck ABC mit A (1|2), B (5|1) und C (2|4). Du sollst das Dreieck parallel verschieben. Den Punkt A′ findest du, wenn du von A aus 6 Einheiten nach rechts und 4 Einheiten nach oben gehst. Bestimme B′ und C′ nach demselben Verfahren. Vergleiche den Umlaufsinn von Dreieck ABC und Dreieck A′B′C′.

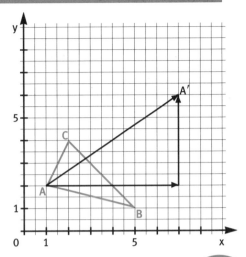

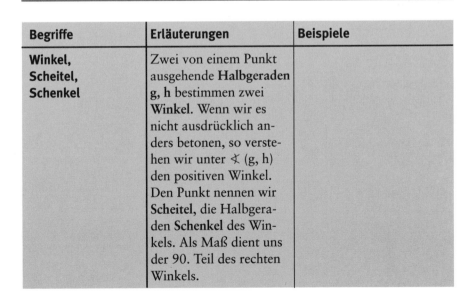

Umlaufsinn

Bei einer **Drehung** bleibt der Umlaufsinn einer Figur erhalten.
Bei einer **Achsenspiegelung** kehrt sich der Umlaufsinn einer Figur um.
Wird eine Figur **parallel verschoben**, so ändert sich der Umlaufsinn nicht.

Zusammenfassung

Begriffe	Erläuterungen	Beispiele
Winkel, Scheitel, Schenkel	Zwei von einem Punkt ausgehende **Halbgeraden** g, h bestimmen zwei Winkel. Wenn wir es nicht ausdrücklich anders betonen, so verstehen wir unter ∢ (g, h) den positiven Winkel. Den Punkt nennen wir **Scheitel**, die Halbgeraden **Schenkel** des Winkels. Als Maß dient uns der 90. Teil des rechten Winkels.	

Begriffe	Erläuterungen	Beispiele
Orientierung eines Winkels **Schreibweise**	Man kann einen Winkel auch durch Drehung einer Geraden durch einen Punkt erzeugen. Dann können wir den Winkel orientieren. Er ist **positiv**, wenn er durch Drehung gegen den **Uhrzeigersinn** entsteht. Drehen wir im Uhrzeigersinn, so ist er negativ. Den Winkel einer Drehung der Geraden g auf die Gerade h schreiben wir dann ∢ **(g, h)**, wobei die Reihenfolge der Geraden die Orientierung bestimmt. So ist ∢ (g, h) = – ∢ (h, g).	
Winkelarten: **spitze,** **rechte,** **stumpfe,** **gestreckte,** **überstumpfe**	Wir unterscheiden **spitze, rechte, stumpfe, gestreckte, überstumpfe Winkel**. Außerdem kennen wir noch den **Vollwinkel** und den **Nullwinkel**.	spitzer Winkel $0° < \alpha < 90°$ rechter Winkel $90°$
Scheitelwinkel, **Nebenwinkel**	Schneiden sich zwei Geraden, so heißen die gegenüberliegenden Winkel **Scheitelwinkel**, die nebeneinander liegenden Winkel **Nebenwinkel**. Scheitelwinkel sind gleich groß. Nebenwinkel ergänzen sich zu $180°$. Beim Winkelmessen musst du besonders darauf achten, dass du	stumpfer Winkel $90° < \alpha < 180°$ gestreckter Winkel $180°$

Begriffe	Erläuterungen	Beispiele
Außenwinkel	nicht den Nebenwinkel misst. Umläuft man eine Figur total, so hat man sich einmal um sich selbst, d. h. um 360° gedreht. Bei einem regelmäßigen n-Eck beträgt die **Richtungsänderung** in jeder Ecke 360° : n. Die Richtungsänderung im Scheitel eines Winkels wird durch den **Außenwinkel** gemessen. Der Winkel im Inneren der Figur heißt damit **Innenwinkel**. Außenwinkel und Innenwinkel sind Nebenwinkel. Sie ergänzen sich also zu 180°.	überstumpfer Winkel $180° < \alpha < 360°$ $\alpha = \gamma$ $\alpha + \beta = 180°$ Innenwinkel Außenwinkel
Umlaufsinn	Die Reihenfolge der Benennung der Eckpunkte einer Figur mit Buchstaben bestimmt den **Umlaufsinn**. Umlaufen wir dabei eine Figur **gegen den Uhrzeigersinn**, so hat sie einen **positiven** Umlaufsinn (+), im Uhrzeigersinn ist er negativ (−).	$30° + 70° + 90° + 45° + 60° + 65°$ $= 360°$
Winkelsumme im Dreieck und Viereck	Aus der Summe der Innen- und Außenwinkel kannst du die Winkelsumme in jedem n-Eck berechnen. Im Dreieck beträgt die Winkelsumme der Innenwinkel 180°.	

Begriffe	Erläuterungen	Beispiele
	Ein Viereck lässt sich in zwei Dreiecke mit je 180° zerlegen. Also beträgt die **Winkelsumme im Viereck 360°**.	180°+ 180° 180° + 180° = 360°
Kreissektor, Mittelpunktswinkel	Ein von zwei Radien begrenzter Kreisausschnitt heißt **Sektor**. Der Winkel zwischen den Radien heißt **Mittelpunktswinkel**. Teilen wir etwa einen Kreis in 5 gleich große Sektoren, so ist jeder Mittelpunktswinkel der fünfte Teil von 360°.	72° 72° 72° 72° 72°
Umlaufsinn bei Abbildungen	Man kann auch ganze Figuren um einen beliebigen Punkt innerhalb oder außerhalb der Figur drehen. Auch hierbei sprechen wir von positiver bzw. negativer Drehung. Bei einer **Drehung** einer ganzen Figur bleibt ihr Umlaufsinn erhalten. Bei einer **Achsenspiegelung** kehrt sich der Umlaufsinn der Figur um. Bei einer **Parallelverschiebung** bleibt der Umlaufsinn der Figur erhalten.	

Test der Grundaufgaben

TESTAUFGABE

1

a) Zeichne ein Dreieck mit c = 8 cm, α = 60°, β = 70°. Miss fehlende Seiten und Winkel.

b) Zeichne ein Dreieck ABC mit c = 8 cm, α = 67,5° und γ = 45°. Was musst du zunächst berechnen? Miss fehlende Seiten und Winkel.

c) Konstruiere das Dreieck ABC mit c = 10 cm, β = 30°, γ = 120°. Was fällt dir auf? Miss fehlende Seiten und Winkel.

TESTAUFGABE

2

Zeichne einen Kreis mit r = 7 cm und gleich großen Sektoren, sodass ein Fünfeck entsteht. Wie groß sind die Mittelpunktswinkel? Wie lang ist die Seite des Fünfecks?

TESTAUFGABE

3

Du umläufst ein Viereck ABCD. Die Strecke $\overline{AB}$ ist 7 m lang. Im Punkt B drehst du dich um 60° nach links (Außenwinkel!). Die Strecke $\overline{BC}$ ist 8 m lang. Im Punkt C drehst du dich um 120° nach links. $\overline{CD}$ ist 7 m lang. Um wie viel Grad musst du dich drehen, damit das Viereck sich schließt? Zeichne in cm statt in m und miss die Innenwinkel. Welchen Umlaufsinn hat das Viereck?

TESTAUFGABE

4

Zeichne in ein Koordinatensystem das Dreieck ABC mit A (1|6), B (5|7) und C (3|9) und drehe es um A um −90°. Gib die Koordinaten der Bildpunkte A′, B′ und C′ an. Bestimme jeweils den Umlaufsinn des Dreiecks.

TESTAUFGABE

5

Zeichne in ein Koordinatensystem das Dreieck ABC mit A (1|6), B (5|7) und C (3|9). Spiegele das Dreieck an der Geraden durch P (0|1) und Q (7|8). Gib die Koordinaten der Bildpunkte A′, B′ und C′ an. Bestimme den Umlaufsinn der Dreiecke.

Der Kreis

AUFGABE
1

a) Zeichne von M aus sieben Strecken der Länge r = 5 cm in verschiedene Richtungen.

b) Wie viele solcher Strecken kannst du insgesamt von M aus ziehen?

Kreis

Alle Punkte, die vom Punkt M aus den gleichen Abstand r haben, liegen auf dem Kreis (M, r). r heißt **Radius** des Kreises (Mehrzahl: Radien); M heißt Mittelpunkt.

MERKE

AUFGABE
2

Zeichne einen Kreis (M, r) mit r = 3 cm und zeichne eine Gerade durch M. Wie lang ist die Strecke, die der Kreis aus dieser Geraden herausschneidet?

Kreismaße

Eine Gerade durch den Mittelpunkt, eine Zentrale, schneidet aus einem Kreis einen Durchmesser heraus: d = 2 · r.

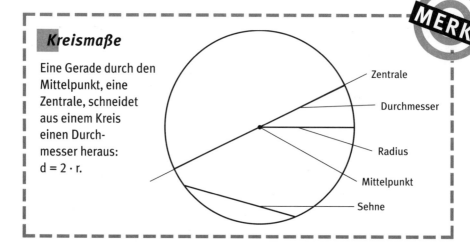

Zentrale

Durchmesser

Radius

Mittelpunkt

Sehne

MERKE

3

Nimm einen runden Gegenstand (kleiner Teller), lege ihn auf ein Blatt Papier und umfahre ihn mit einem Bleistift. Schneide die Figur aus.

a) Finde den Mittelpunkt des Kreises durch Falten.

b) Wie oft musst du falten?

c) Wie oft könntest du falten?

Spiegelachsen im Kreis

Ein Kreis (M, r) hat unendlich viele Spiegelachsen. Jede Gerade durch den Mittelpunkt ist Spiegelachse.

MERKE

4

Vervollständige die Sätze (kleiner, gleich, größer?)

a) Für jeden Punkt im Inneren eines Kreises mit dem Radius r ist der Abstand vom Mittelpunkt ... als der Radius.

b) Für jeden Punkt außerhalb des Kreises ist der Abstand zum Mittelpunkt ...

c) Für jeden Punkt auf dem Kreisrand ist der Abstand zum Mittelpunkt ...

5

a) Zeichne zwei gleich große Kreise (r = 5 cm) so, dass der Mittelpunkt des einen auf dem Rand des anderen liegt.

b) Verbinde die beiden Mittelpunkte M und O. Wie lang ist $\overline{MO}$?

c) Verbinde die beiden Schnittpunkte der Kreise P und Q. Miss $\overline{PQ}$.

d) Wie verlaufen $\overline{MO}$ und $\overline{PQ}$ zueinander?

6

a) Zeichne g und auf g die Strecke $\overline{MO}$ = 7 cm. M und O sollen Mittelpunkte zweier Kreise sein mit den Radien r = 5 cm.
Wie lang ist jetzt die Verbindungsstrecke der zwei Schnittpunkte P und Q der Kreise?

b) Löse wie oben: $\overline{MO}$ = 8,5 cm, r = 5 cm.

7

a) Wie weit müssen die Mittelpunkte auseinander liegen, damit sich die Kreise nicht in zwei Punkten schneiden, sondern in genau einem Punkt berühren (r = 5 cm)?

b) Zeichne in diesem Berührungspunkt die gemeinsame **Tangente** (d.h. die Senkrechte zum Berührungspunkt).

8

Zeichne ein Quadrat mit a = 5 cm und setze auf jede Seite einen Halbkreis. Zeichne einen Kreis durch die vier Eckpunkte und einen zweiten Kreis, der die vier Halbkreise von außen berührt. Wie groß sind die Radien der Halbkreise, des inneren, des äußeren Kreises?

9

Zeichne ein Quadrat mit a = 4 cm und um jede Ecke einen Kreis so, dass sich zwei benachbarte Kreise jeweils berühren. Zeichne ein zweites Quadrat, das die vier Kreise von außen berührt und um 45° gegenüber dem ersten Quadrat verdreht ist. Wie lang ist dessen Seitenlänge?

10

Zeichne ein Quadrat mit a = 7 cm. Zeichne um jede Seitenmitte einen Viertelkreis, der durch die Seitenmitten der benachbarten Quadratseiten geht. Zeichne von jeder Ecke aus einen Viertelkreis, der durch die Seitenmitten der anliegenden Seiten geht. Wie groß sind die Radien im Vergleich zur Quadratseite a?

11

a) Zeichne ein solches Blatt. $\overline{AB}$ = 8 cm. Wie groß sind die Radien?

b) Setze zwei Blätter zu einem Propeller zusammen.

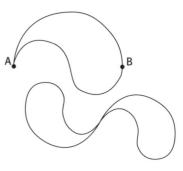

12

a) Zeichne einen Halbkreis mit r = 6 cm und setze das „Karo" wie in der Abbildung ein. Wo liegen die vier Mittelpunkte der Viertelkreise? Wie groß ist deren Radius?

b) Zeichne einen Vollkreis mit r = 8 cm und setze vier solcher Karos ein.

13 a) Zeichne ein Herz. Die zwei Radien betragen
$r_1 = 2$ cm und $r_2 = 3 \cdot r_1$.

b) Zeichne ein Herz mit den Radien $r_1 = 2$ cm und
$r_2 = 4 \cdot r_1$.

MERKE

Tangente

Die Senkrechte im Endpunkt eines
Radius heißt **Tangente**. Der Radius,
der senkrecht auf einer Tangente
steht, heißt **Berührungsradius**.

14 a) Zeichne einen Kreis (r = 5 cm), eine Zentrale (Gerade durch den Mittelpunkt) und mit dem Geodreieck dazu eine zweite Zentrale, die senkrecht
zur ersten verläuft.

b) Verbinde die vier entstandenen Kreispunkte. Was für eine Figur entsteht?
Kontrolliere die Winkel und miss die Seitenlängen.

c) Lege dein Geodreieck mit seiner Mittellinie auf einen der Durchmesser
und zeichne im Endpunkt des Durchmessers eine Tangente. Führe dies an
allen vier Kreispunkten durch. Wenn du genau gezeichnet hast, muss ein
äußeres Quadrat entstehen. Wie lang sind die Seiten?

d) Zeichne den Kreis, der durch die Eckpunkte des äußeren Quadrats geht.
Wie groß ist der Radius?

a) Teile einen Kreis (r = 7 cm) in fünf gleich große Sektoren (350° : 5 = 72°). Verbinde die fünf Kreispunkte zu einem Fünfeck. Kontrolliere, ob die fünf Seiten gleich lang sind. Miss die Seitenlängen.

b) Zeichne in jedem der fünf Punkte wie in Aufgabe 9 die Tangenten an den Kreis (Mittellinie des Geodreiecks). Es entsteht ein äußeres Fünfeck. Miss die Seitenlängen.

c) Wenn du genau gearbeitet hast, müssen die fünf neuen Eckpunkte auf einem Kreis liegen. Versuche den Kreis zu zeichnen. Wie groß ist der Radius?

a) Teile deinen Kreis (r = 3 cm) in drei Sektoren von 360° : 3 = 120° ein und verbinde die Kreispunkte. Kontrolliere, ob deine drei Dreieckseiten gleich lang sind.

b) Zeichne mithilfe deines Geodreiecks die Tangente in den drei Dreieckpunkten und miss die Seitenlängen des größten Dreiecks.

c) Versuche, ob deine Zeichnung genügend genau ist und zeichne den äußeren Kreis. Wie groß ist der Radius?

a) Zeichne einen Kreis mit r = 4 cm und teile ihn in sechs gleich große Sektoren (360° : 6 = = 60°). Verbinde die Kreispunkte zu einem Sechseck. Es entstehen sechs gleichseitige Mittelpunktsdreiecke.

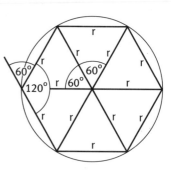

b) Zeichne einen Kreis (r = 3 cm) und trage auf dem Rand sechsmal den Radius ab. Nimm diese sechs Punkte als Mittelpunkte von sechs weiteren Kreisen mit r = 3 cm. Diese Figur nennen wir **Rosette.**

a) Zeichne einen Winkel a = 60°. Gesucht sind zwei Punkte B und C, die erstens auf dem Schenkel des Winkels liegen und zweitens 5 cm vom Schenkel entfernt sind.

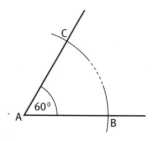

b) Verbinde B und C. Miss die Seitenlängen und die Winkel des Dreiecks.

Gleichseitiges Dreieck

Ein Dreieck mit drei gleichen Winkeln von je 60° ist gleichseitig, d. h. es hat drei gleich lange Seiten.

AUFGABE 19

Das Dreieck ABC soll gleichseitig sein. $\overline{AB} = \overline{BC} = \overline{CA} = 3$ cm. Zeichne wie in der Abbildung die Teilfigur, die

a) aus zwei solchen Dreiecken besteht,

b) aus drei solchen Dreiecken besteht,

c) aus vier solchen Dreiecken besteht

und zeichne (wenn möglich) jeweils die Symmetrieachsen (mögliche Faltachsen) mit ein.

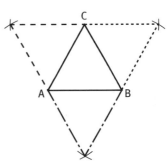

AUFGABE 20

Wenn du Stäbe aus einem Metallbaukasten hast, so schraube drei Stäbe zu einem Dreieck zusammen.

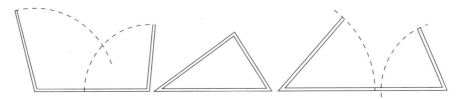

Ein Dreieck aus drei Stäben ist stabil. Es nimmt eine eindeutig bestimmte Form an und kann in den Eckpunkten nicht mehr bewegt werden. Warum kannst du aus den drei Stäben der rechten Abbildung kein Dreieck zusammenschrauben?

AUFGABE 21

Nimm vier Stäbe und baue ein Viereck zusammen, das in den Ecken beweglich ist. Es ist in seiner Form nicht eindeutig bestimmt. Erst wenn du einen Winkel festhältst, kann es nicht mehr bewegt werden.

22

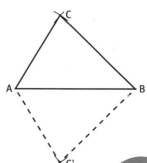

a) Zeichne die Strecke $\overline{AB}$ = 7 cm, schlage je einen Kreis um A mit 5 cm und um B mit 6 cm. Nenne die beiden Schnittpunkte C und C'. Verbinde ABC und miss die Seitenlängen des Dreiecks.

b) Färbe das Dreieck ABC rot und das Dreieck ABC' blau. Vergleiche die beiden Dreiecke.

c) Gib den Umlaufsinn der Dreiecke an.

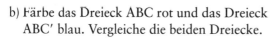

Konstruktion eines Dreiecks

Die Maße dreier Seiten legen die Form des Dreiecks eindeutig fest. Die Summe zweier Seitenlängen ist dann immer größer als die dritte Seite. Sind die drei Seitenlängen entsprechend gegeben, so ist das Dreieck konstruierbar.

Wir nennen diese Konstruktionsmöglichkeit: **Seite – Seite – Seite** (SSS)

MERKE

23

Zeichne Dreiecke und miss die drei Winkel; eine der vier Aufgaben ist nicht lösbar. Begründe:

a) c = 7 cm, a = 4 cm, b = 5 cm

b) c = 9 cm, a = 3 cm, b = 5 cm

c) c = 8 cm, a = 6 cm, b = 7 cm

d) c = 7 cm, a = 7 cm, b = 7 cm

Zusammenfassung

Begriffe	Erläuterungen	Beispiele
Kreis (M, r), Radius, Mittelpunkt	Alle Punkte, die von einem Punkt M aus den gleichen Abstand haben, liegen auf dem **Kreis (M, r)**. r heißt **Radius** des Kreises (Mehrzahl: Radien); M heißt **Mittelpunkt**.	

Begriffe	Erläuterungen	Beispiele
Durchmesser, Sehne, Spiegelachsen **Tangente, Berührungsradius**	Eine Gerade durch den Mittelpunkt eines Kreises (eine **Zentrale**) schneidet einen **Durchmesser d** heraus. Es gilt **d = 2r**. Schneidet eine Gerade einen Kreis in zwei Punkten A, B, so heißt die Strecke $\overline{AB}$ **Sehne**. Jede Mittelsenkrechte einer Sehne geht durch den Mittelpunkt. Die Senkrechte im Endpunkt eines Radius heißt **Tangente**. Der entsprechende Radius heißt **Berührungsradius**.	
Sechseck im Kreis	Teilt man einen Kreis in sechs Sektoren zu je 60°, so entstehen 6 gleichseitige **Mittelpunktsdreiecke** (s. Winkelsumme im Dreieck). Man kann daher diese Dreiecke auch erzeugen, indem man auf dem Kreis den Radius sechsmal abträgt.	
Konstruktionsprinzip: Seite, Seite, Seite (SSS)	Die **Angabe dreier Seitenlängen** legen die Form eines Dreiecks eindeutig fest. Dabei muss allerdings die Summe zweier Seiten immer größer sein als die dritte. Sind drei Seitenlängen gegeben, so sagen wir, dass wir das Dreieck nach dem Prinzip **SSS** konstruieren können.	

Test der Grundaufgaben

1

Zeichne ein Quadrat mit a = 10 cm und die beiden Diagonalen d. Zeichne um jeden Eckpunkt einen Viertelkreis mit $\frac{d}{2}$ in das Quadrat. Die Viertelkreise schneiden die Quadratseiten in 8 Punkten. Verbinde diese Punkte zu einem Achteck. Ist das Achteck gleichseitig? Miss die Seiten des Achtecks.

2

Zeichne ein Quadrat mit a = 7 cm und den Kreis durch die Quadratecken (Hilfe: Diagonalen). Zeichne in den 4 Eckpunkten die Tangenten an diesen Umkreis. Was entsteht? Gib die Seitenlängen an.

3

Zeichne ein gleichseitiges Dreieck mit s = 10 cm. Fälle von den Eckpunkten das Lot auf die Gegenseiten. Um den Schnittpunkt dieser Lote kannst du einen Kreis durch die Dreieckspunkte zeichnen. Welchen Radius hat dieser Kreis?

4

Zeichne die möglichen Dreiecke; eins ist nicht möglich! Miss die Winkel.

a) $\overline{AB}$ = c = 7 cm; $\overline{BC}$ = a = 5 cm; $\overline{CA}$ = b = 4 cm;

b) $\overline{AB}$ = c = 9 cm; $\overline{BC}$ = a = 5 cm; $\overline{CA}$ = b = 3 cm;

c) $\overline{AB}$ = c = 8 cm; $\overline{BC}$ = a = 7 cm; $\overline{CA}$ = b = 7 cm

Die vier Grundkonstruktionen

AUFGABE

1

a) Zeichne in die Mitte eines Blattes die Gerade s; s soll die Spiegelachse der folgenden Figur sein. Lege auf s den Punkt M fest. M ist **Fixpunkt**. Auf welchen Punkt wird M bei der Spiegelung an S abgebildet?

s

✕M

b) Zeichne mit dem Geodreieck die Gerade g; g soll senkrecht auf s stehen; g ⊥ s. Wo liegt das Bild von g bei der Spiegelung an der Achse s?

s

M ——————— g

c) Suche mit dem Zirkel zwei Punkte A und B auf g, die gleich weit von M entfernt sind.

s

M
A   B ——— g

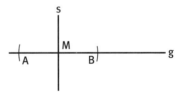

s soll immer noch Spiegelachse sein. A und B sind **entsprechende Punkte**. Auf welchen Punkt fällt A bei der Spiegelung an s? Auf welchen Punkt fällt B dabei?

Beachte

d) Zeichne um A und B je einen Kreis mit gleichem Radius, der die Spiegelachse in zwei Punkten schneidet. Dabei muss r größer als ($\frac{\overline{AB}}{2}$) sein. Die Gerade s ist immer noch Spiegelachse der Figur. Die Kreise müssen sich auf der Spiegelachse schneiden. Nenne die Schnittpunkte P und Q. Zeichne die zwei entsprechenden Radien $\overline{PA}$ und $\overline{PB}$ ein.

Welche Eigenschaften haben die Punkte P und Q bei der Spiegelung an s (P und Q liegen auf s)?

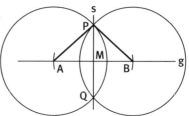

Entsprechende Punkte

Punkte (Strecken, Geraden und andere geometrische Figuren), die beim Falten aufeinander fallen würden, heißen **entsprechende** Punkte (Strecken, Geraden usw.).

Zeichne Figuren, die etwa so aussehen wie die unten abgebildeten und ergänze sie so, dass Zeichnungen wie in Aufgaben 1 entstehen.

AUFGABE

2 Zeichne zwei gleich große Kreise um A und B, die sich in den Punkten P und Q schneiden. Zeichne die Spiegelachse rot ein. Kennzeichne den Mittelpunkt der Strecke $\overline{AB}$ mit M.

A ——————————————— g

Beachte > Die Radien der zwei Kreise müssen größer sein als die Hälfte des Abstandes der Punkte A und B.

AUFGABE

3 Suche mit dem Zirkel zwei Punkte A und B auf g, die gleichen Abstand von M haben. Damit die Kreise um A und B sich schneiden, muss der Radius größer als $\overline{AM}$ sein.

———————————— g
M

AUFGABE

4　Gegeben: Die Gerade g und der Punkt P.
Suche auf g (mit dem Zirkel) zwei Punkte A
und B so, dass $\overline{PA} = \overline{PB}$ ist. Ergänze wie
oben.

×P

———————————————— g

AUFGABE

5　Hier siehst du einen Winkel. Der Punkt P ist
sein **Scheitel**. Die zwei Halbgeraden heißen
Schenkel. Suche A und B so, dass $\overline{PA} = \overline{PB}$
ist (Zirkel). A und B sind dann entspre-
chende Punkte. Ergänze wie oben.

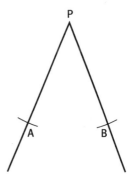

AUFGABE

6　Die vier Grundkonstruktionen in Aufgabe 2 bis 5 heißen (in anderer
Reihenfolge): **Senkrechte errichten – Lot fällen – Strecke halbieren –
Winkel halbieren**.
Ordne diese Kennzeichnung den vier Aufgaben 2 bis 5 zu.

AUFGABE

7　Welche Grundkonstruktionen werden im Folgenden beschrieben?

a) Gegeben: Eine Gerade g und ein Punkt M der Spiegelachse s auf g.
　 Gesucht: Zwei entsprechende Punkte A und B, ein weiterer Punkt P der
　　　　　　 Spiegelachse s.

b) Gegeben: Zwei entsprechende Punkte A und B.
　 Gesucht: Zwei Punkte P und Q der Spiegelachse s.

c) Gegeben: Zwei entsprechende Halbgeraden, ein Punkt P der Spiegel-
　　　　　　 achse s.
　 Gesucht: Zwei entsprechende Punkte A und B, ein weiterer Punkt Q der
　　　　　　 Spiegelachse s.

AUFGABE

8　Beschreibe die fehlende vierte Grundkonstruktion selber.

Mittelsenkrechte

Beim Halbieren einer Strecke $\overline{AB}$ errichtet man in der Mitte der Strecke $\overline{AB}$ eine Senkrechte. Diese heißt Mittelsenkrechte der Strecke $\overline{AB}$.

AUFGABE

9

Die Grundkonstruktion „Halbieren eines Winkels" ist etwas schwierig. Daher beschreiben wir sie noch einmal genau.

Gesucht ist die Spiegelachse eines Winkels.

Zeichne P und zwei von P ausgehende Halbgeraden (Winkel). Suche auf diesen Halbgeraden zwei Punkte A und B, die gleich weit von P entfernt sind (Zirkel). Nun musst du um A und B zwei sich schneidende gleich große Kreise zeichnen. Meist nimmt man den Radius $\overline{PA}$ = = $\overline{PB}$, den man bereits im Zirkel hat. Nenne den zweiten Schnittpunkt Q und zeichne die Spiegelachse $\overline{PQ}$. Diese Gerade halbiert den Winkel ∢ APB. Die Fixgerade $\overline{AB}$ ist für die Konstruktion überflüssig. Zeichne sie aber trotzdem mit ein.

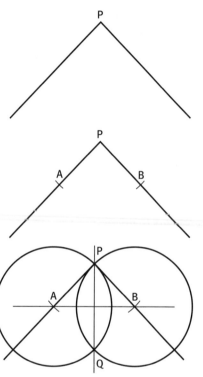

Winkelhalbierende

Eine Gerade, die einen Winkel halbiert, heißt Winkelhalbierende.

Du fragst dich vielleicht, warum du diese Grundkonstruktionen so umständlich ausführen sollst. Dahinter steckt eine Idee: die Idee von der Konstruierbarkeit geometrischer Figuren nur mit den einfachen Hilfsmitteln Zirkel und

Lineal. Dabei benutzen wir das Lineal nur als „Geradenzieher" und den Zirkel als „Kreiszieher" bzw. Überträger von Strecken. So wie Robinson und Freitag sich auf ihrer einsamen Insel mit ihren primitiven Mitteln zurechtfanden, sollst du dein geometrisches Überleben nur mit Zirkel und Lineal schaffen. Mit diesem Wissen kannst du das Geodreieck zum Streckenteilen, zum Zeichnen von rechten Winkeln und Parallelen einsetzen.

AUFGABE

10   Wir wollen die Zeichnungen der vier Grundkonstruktionen auf die minimalen Hilfslinien reduzieren. Zeichne viermal die Grundfigur zweier sich schneidender gleich großer Kreise (siehe Abbildung) und male die notwendigen minimalen Hilfslinien farbig ein. Hebe die Spiegelachse andersfarbig hervor.

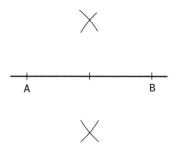

Strecke halbieren

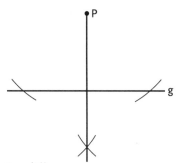

Lot fällen

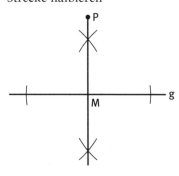

Senkrechte errichten

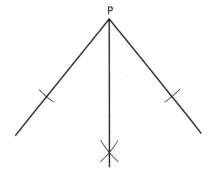

Winkel halbieren

11 A und B seien Versorgungsstationen der
Bohrstellen R, S, T, U, V, W.

a) Welche Bohrstellen liegen näher an A und
welche näher an B?

b) Was gilt für R? Es gibt noch einen solchen Punkt, für den das Gleiche gilt.
Welcher ist das?

c) Ergänze den fehlenden Satz:
1. Es gibt Punkte, die näher an A
liegen (Male sie blau an).
2. Es gibt Punkte, die näher an B liegen (Male sie grün an).
3. Es gibt Punkte, ... (... rot an). (Wie muss der Satz für R heißen?)

d) Wo liegen alle Punkte, die näher an A liegen?

Gleicher Abstand von Punkten

Alle Punkte, die von zwei Punkten A und B gleich weit entfernt liegen, liegen
auf der Mittelsenkrechten der Strecke $\overline{AB}$.

MERKE

---

12 Verbinde in der Abbildung von Aufgabe 11 die Punkte R, S, T, U, V, W
jeweils mit A und B. Ziehe die kürzere Strecke durch, strichele die längere.
Wenn beide gleich lang sind, färbe sie rot.

13 Zeichne $\overline{AB}$ = 7 cm. Suche mit dem Zirkel
zwei Punkte, P und Q die von A und B
4 cm entfernt sind (oben und unten).
Zeichne die Mittelsenkrechten auf $\overline{AB}$ und
die Radien ein. Miss die Länge des Lots h
von P auf $\overline{AB}$. Verfahre entsprechend mit
r = 6 (8, 10, 12) cm.
Lege eine Tabelle mit r und h an.

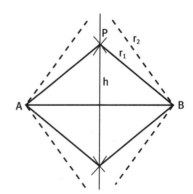

Beachte

> In dem Dreieck ABP gilt: Die Gerade, auf der h liegt, ist die Mittel-
> senkrechte (steht senkrecht auf der Mitte von $\overline{AB}$).
> h ist auch gleichzeitig Winkelhalbierende (h halbiert den Winkel
> ∢ APB).

AUFGABE

14 Zeichne nun umgekehrt $\overline{AB}$ = 7 cm, die Mittelsenkrechte auf $\overline{AB}$ und lege auf
dieser den Punkt P jeweils fest, sodass gilt: h = 4 cm (6, 8, 10, 12 cm).
Zeichne die gleich langen Strecken r nach A und B und miss diese.
Lege eine Tabelle mit h und r an.

AUFGABE

15 a) Zeichne in einem Kreis (r = 6 cm) eine Sehne $\overline{AB}$ = 9 cm wie folgt ein:
Zeichne den Kreis (M, r). Lege den Punkt A auf dem Kreis fest. Schlage
um A mit $\overline{AB}$ einen Kreis. Nenne einen der Schnittpunkte B.

b) Konstruiere die Spiegelachse der Sehne $\overline{AB}$. Was fällt dir auf?

AUFGABE

16 a) Zeichne zwei Kreise (r_1 = 5 cm, r_2 = 3 cm), die sich schneiden. Nenne die
Schnittpunkte A und B. Suche einen Punkt M_3, der Mittelpunkt eines drit-
ten Kreises ist und durch A und B verläuft.

b) Wo liegen die drei Mittelpunkte der Kreise?

c) Zeichne die Linie rot ein, auf der alle Mittelpunkte liegen und zeichne fünf
weitere Kreise, die durch A und B verlaufen.

d) Welches ist der kleinste Kreis durch A und B, der sich zeichnen lässt?
Zeichne und miss seinen Radius.

MERKE

Sich schneidende Kreise

Die Mittelpunkte aller Kreise, die durch zwei Punkte A und B verlaufen, liegen auf der Mittelsenkrechten von $\overline{AB}$.

17 a) Zeichne $\overline{AB}$ = 6 cm. $\overline{AB}$ soll die Sehne in Kreisen mit den Radien 3 cm, 5 cm, 9 cm sein. Zeichne diese fünf (ja: fünf) Kreise. Wenn sie zu groß werden, so zeichne nur die Bögen durch A und B.

b) Zeichne die Radien von Kreismittelpunkten zu A und B farbig ein, sodass gleiche Radien gleiche Farben haben.

c) Miss die Abstände der Mittelpunkte von der Sehne $\overline{AB}$.

18 Zwei Straßen g und h seien Versorgungsstraßen der Bohrstellen R, S, T, U, V, W.

a) Welche Punkte liegen näher an g?

b) Welche Punkte liegen näher an h?

c) Wie muss die dritte Frage lauten? Beantworte sie (siehe Skizze).

d) Fälle mit dem Geodreieck die Lote auf den näher liegenden Schenkel. Falls beide gleich weit entfernt sind, so fälle beide Lote.

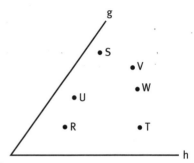

Punkte in einem Winkel   MERKE

Alle Punkte, die gleich weit von den Schenkeln eines Winkels entfernt sind, liegen auf der Winkelhalbierenden des Winkels.

---

19 a) Zeichne einen Winkel wie in der Abbildung, halbiere ihn und trage die Punkte R, S, T, U, V, W etwa wie abgebildet ein.

b) Fälle mit dem Geodreieck von jedem Punkt das Lot auf den näher liegenden Schenkel. Kennzeichne die rechten Winkel.

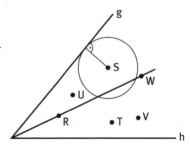

c) Zeichne um jeden Punkt einen Kreis, der (mindestens) einen Schenkel berührt.

d) Für welche Punkte sind beide Schenkel Tangenten des Kreises?

Kreise in einem Winkel

MERKE

Die Mittelpunkte aller Kreise, die die beiden Schenkel eines Winkels berühren, liegen auf der Winkelhalbierenden des Winkels.

AUFGABE

20 Zwei Kreise mit $r_1 = 4$ cm und $r_2 = 2,5$ cm sollen sich in einem Punkt B berühren.

a) Zeichne den Kreis mit r_1 und lege den Berührungspunkt B beliebig fest. Zeichne die gemeinsame Tangente t in B und zeichne den Berührungsradius des zweiten Kreises. Wie weit sind die Mittelpunkte der Kreise voneinander entfernt?

b) Es gibt zwei Möglichkeiten den zweiten Kreis so einzuzeichnen, dass er den Punkt B berührt. Zeichne auch die zweite mögliche Lage des Kreises ein.

AUFGABE

21 Zeichne in die Mitte eines Blattes einen Kreis (r = 7 cm) und zwei sich rechtwinklig schneidende Durchmesser. Halbiere mit dem Zirkel die Winkel fortlaufend, bis du den Kreis in 16 gleich große Sektoren aufgeteilt hast. Miss den Winkel eines solchen Sektors und die Seitenlänge des 16-Ecks.

AUFGABE

22 Zeichne wie oben einen Kreis (r = 7 cm) und teile ihn mit dem Winkelmesser in drei gleich große Sektoren von je 120°. Teile jeden dieser Sektoren mit dem Zirkel in vier gleich große Sektoren. Miss den Sektorwinkel und die Seiten deines Zwölfecks.

23 Zeichne eine Spiegelachse s und eine Gerade g, die s unter einem Winkel von α = 55° schneidet. Spiegele die Figur an s. Wie groß ist der Winkel ∢ (g, g')? Was macht s mit diesem Winkel?

24 Zeichne einen Winkel α = 75° und konstruiere seine Winkelhalbierende w(α). Zeichne im Scheitel von α die Senkrechte s zur Winkelhalbierenden w(α). Spiegele die Figur an s. Welche Eigenschaft hat s für den Nebenwinkel von α?

25 Zeichne zwei Geraden g und h, die sich unter einem Winkel von α = 40° schneiden. Konstruiere die Winkelhalbierenden der vier Winkel. Unter welchem Winkel schneiden sich die Winkelhalbierenden von Winkel und Nebenwinkel?

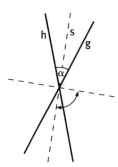

Zwei sich schneidende Geraden

Schneiden sich zwei Geraden, so gilt immer:
Die Winkelhalbierenden eines Winkels und seines Nebenwinkels stehen senkrecht aufeinander.

MERKE

Zusammenfassung

Begriffe	Erläuterungen	Beispiele
Grundkonstruktionen	Die vier Grundkonstruktionen lauten: **Errichten einer Senkrechten, Fällen eines Lotes, Halbieren einer Strecke, Halbieren eines Winkels.** Mitunter gilt auch die Konstruktion einer Parallelen als (fünfte) Grundaufgabe. Alle vier Grundaufgaben haben die gleiche Figur als Begründung. Zeichne zwei gleich große Kreise, die sich schneiden, zeichne die Geraden durch die Kreise und zeichne die vier dadurch bestimmten Radien. Die dabei zu begründenden Sätze lauten:	
Mittelsenkrechte	Alle Punkte, die von zwei festen Punkten A und B gleich weit entfernt sind, liegen auf der Mittelsenkrechten der Strecke $\overline{AB}$. Die Mittelsenkrechte einer Strecke ist ihre Spiegelachse.	

Begriffe	Erläuterungen	Beispiele
Kreise durch zwei Punkte	Die Mittelpunkte aller Kreise, die durch zwei gegebene Punkte A, B gehen, liegen auf der **Mittelsenkrechten** dieser Strecke $\overline{AB}$.	
Winkelhalbierende	Alle Punkte, die gleich weit von den Schenkeln eines Winkels entfernt sind, liegen auf der **Winkelhalbierenden** des Winkels. Die Winkelhalbierende ist die Spiegelachse des Winkels.	
Kreise im Winkel	Die **Mittelpunkte** aller **Kreise**, die die zwei Schenkel eines Winkels berühren, liegen auf der **Winkelhalbierenden** des Winkels.	
Winkelhalbierende von Nebenwinkeln	Schneiden sich zwei Geraden, so gilt für die Winkelhalbierenden der Schnittwinkel: Die **Winkelhalbierenden** eines Winkels und seines Nebenwinkels stehen **senkrecht** aufeinander.	

Test der Grundaufgaben

TESTAUFGABE

1 Zeichne ein gleichseitiges Dreieck mit s = 10 cm und konstruiere mit dem Zirkel und Lineal das Lot von der Spitze auf die Gegenseiten. Miss die Länge des Lotes.

TESTAUFGABE 2

Zeichne ein gleichschenkliges Dreieck aus $\overline{AB}$ = c = 10 cm, α = 30 ° und $\overline{AB}$ = = $\overline{AC}$. Halbiere den Winkel bei C, den Winkel γ. Miss die Länge dieser Winkelhalbierenden.

TESTAUFGABE 3

Zeichne nur mit Zirkel und Lineal: eine waagerechte Strecke $\overline{AB}$ = 8 cm und die Mittelsenkrechte. Bestimme die Mittelpunkte zweier Kreise mir r_1 = 5 cm und r_2 = 7 cm, für die $\overline{AB}$ Sehne ist. Welchen Abstand haben diese Mittelpunkte von der Strecke $\overline{AB}$?

TESTAUFGABE 4

Zeichne ein Dreieck ABC mit c = 10 cm, a = 8 cm und b = 7 cm. Zeichne die Winkelhalbierenden (Zirkel!) der Winkel α und β. Diese schneiden sich in einem Punkt. Fälle die Lote (Geodreieck) auf die drei Dreiecksseiten. Zeichne einen Kreis, der die Dreiecksseiten berührt. Wie lang ist sein Radius?

TESTAUFGABE 5

Zeichne ein Dreieck ABC mit c = 10 cm, a = 7 cm und b = 7 cm. Konstruiere die Mittelsenkrechte auf c und b. Diese schneiden sich in einem Punkt M. Miss den Abstand dieses Punktes zu den drei Eckpunkten. Zeichne den Kreis um diesen Punkt durch die Eckpunkte. Welchen Radius hat der Kreis?

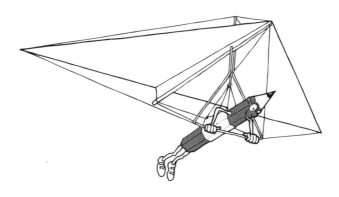

Die Raute

a) Zeichne $\overline{AB}$ = 4 cm und deren Mittelsenkrechte. Finde auf dieser Mittel-senkrechten oben bzw. unten die Mittelpunkte zweier Kreise mir r =5 cm, für die $\overline{AB}$ Sehne ist.

b) Die Punkte A und B und die Mittelpunkte der Kreise P und Q bestimmen ein Viereck ABPQ. Welche Seitenlängen hat dieses Viereck? Was für ein Viereck ist entstanden?

MERKE

Gesetzmäßigkeiten der Raute

Ein Viereck mit vier gleich langen Seiten heißt Raute. In einer **Raute** sind die Diagonalen Spiegelachsen und stehen senkrecht aufeinander. Als Spiegel achsen halbieren sie auch die Winkel.

AUFGABE
2

Zeichne auf einem gesonderten Blatt ein solches Viereck wie in Aufgabe 1 b) mit den Maßen $\overline{AB}$ = 6 cm, r = 5 cm. Schneide es aus und falte es längs seiner Spiegelachsen. (Bewahre die Figur auf!)

Wir haben die Raute AQBP aus der Figur mit den Grund-konstruktionen gewonnen (Schnitt zweier gleich großer Kreise).
Es ist üblich, ein Viereck mit ABCD zu bezeichnen. In dem Viereck ABCD kennzeichnen wir die vier Seiten mit a, b, c, d, die zwei Diagonalen mit e, f und die vier Winkel mit α, β,

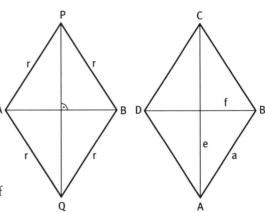

γ, δ (lies α: alpha; β: beta; γ: gamma; δ: delta). α liegt bei A, β liegt bei B, γ liegt bei C, δ liegt bei D. Man kann zur Bezeichnung eines Vierecks auch beliebig andere Buchstaben benutzen.

Wenn wir das Maß einer Größe angeben, so schreiben wir für „Länge der Seite a beträgt 7 cm" kurz a = 7 cm (bzw. $\overline{AB}$ = 7 cm); für „die Größe des Winkels α beträgt 50°" schreiben wir kurz α = 50°.

Beachte

Die Schreibweise im Unterricht an deiner Schule kann von dieser Kurzform abweichen.
Evtl. musst du schreiben:
l (a) = 7 cm (Länge von a) bzw. l ($\overline{AB}$) = 7 cm oder $|\overline{AB}|$ = 7 cm.
$w(α)$ = 50° (Winkelgröße α = 50°).

Mache dir diese Unterschiede bewusst und übe die verlangte Schreibweise.

AUFGABE 3

Deine Raute aus Aufgabe 2 hatte folgende Maße: e = 6 cm und a = 5 cm. Zeichne sie noch mal in verschiedener Reihenfolge und in verschiedenen Lagen.

a) Beginne mit a = $\overline{AB}$ = 5 cm. Lege a waagerecht (parallel zum oberen Heftrand). Zeichne erst das Dreieck ABC und ergänze dann zur Raute. Miss die Strecke $\overline{BD}$ = f.

b) Beginne mit der Diagonalen e und lege e „schräg" (etwa in Richtung Heftdiagonale). Prüfe die entstandenen Figuren jeweils mit deiner ausgeschnittenen Figur.

AUFGABE 4

a) Zeichne eine Raute aus e = $\overline{AC}$ = 12 cm und f = $\overline{BD}$ = 5 cm.
Miss die Seitenlängen und die Winkel deiner Raute. Beginne mit e, halbiere e …

b) Nimm deine Raute (oder schneide die von a) aus) und falte sie längs einer Diagonalen. Beschreibe die Figur.

MERKE

Gleichschenkliges Dreieck

Eine durch eine Diagonale halbierte Raute ist ein **gleichschenkliges Dreieck**. Die zwei gleich langen Seiten heißen **Schenkel** s, die dritte Seite heißt **Basis** b des gleichschenkligen Dreiecks.

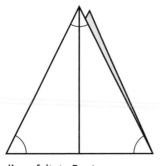

die gefaltete Raute,
ein **gleichschenkliges** Dreieck

die zweimal gefaltete Raute,
ein **rechtwinkliges** Dreieck

AUFGABE

5

a) Falte dein gleichschenkliges Dreieck (siehe Aufgabe 4) längs seiner Spiegelachse. Du erhältst ein rechtwinkliges Dreieck.

b) Wie lang sind die Seiten (in cm)?

c) Vergleiche die Seiten deines rechtwinkligen Dreiecks mit a, e, f der Raute.

6 Zeichne nebeneinander (siehe Merkkasten):

a) Raute (e = 6 cm, f = 8 cm),

b) halbe Raute, d.h. gleichschenkliges Dreieck (klappe nach oben),

c) halbes gleichschenkliges Dreieck, d.h. rechtwinkliges Dreieck (klappe nach rechts)

und schreibe die Beziehungen der Seiten an (etwa $\frac{a}{2}$, a oder $\frac{a}{3}$; eine Bezeichnung ist falsch!).

Gesetze am gleichschenkligen Dreieck

Da das gleichschenklige Dreieck eine Spiegelachse hat, gilt: Im gleichschenkligen Dreieck ist die Spiegelachse zum einen Mittelsenkrechte der Basis und gleichzeitig Winkelhalbierende des Winkels an der Spitze. Die zwei Winkel an der Basis (Basiswinkel) sind gleich groß.

---

7 Schneide eine Raute (e = 6 cm, f = 8 cm) längs der Faltachsen (Diagonalen) durch.

a) Wie viele rechtwinklige Dreiecke erhältst du?

b) Kennzeichne die rechten Winkel mit ⌐ .

c) Lege die Teile zu einem Rechteck zusammen. Dieses geht auf zwei Weisen!

d) Zeichne die Raute (e = 6 cm, f = 8 cm) und die zwei Rechtecke, die sich durch Umlegen der rechtwinkligen Dreiecke ergeben. Zeichne jeweils die vier Teildreiecke ein. Gib die Seitenlängen der Rechtecke an.

Zerlegungsgleiche Rechtecke

Jede Raute mit den Diagonalen e und f kann man auf zwei Arten in ein zerlegungsgleiches Rechteck zerlegen. Die Rechtecke haben dann die Seitenlängen $\frac{e}{2}$ und f, bzw. e und $\frac{f}{2}$.

Zeichne die Raute e = 12 cm, f = 5 cm und die zwei zerlegungsgleichen Rechtecke. Gib deren Seitenlängen an.

Gehe so vor: ▷ Zeichne vor jeder Konstruktion eine **Planfigur**. Soll ein gleichschenkliges Dreieck gezeichnet werden, so zeichne erst ein gleichschenkliges Dreieck mit beliebigen Maßen und kennzeichne die gegebenen Größen farbig oder mit einem Doppelstrich. Z.B.: Gegeben: Basis b und Schenkel s; gesucht: h

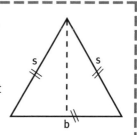

Zeichne gleichschenklige Dreiecke und miss die fehlende dritte Größe (s: Schenkel; b: Basis; h: Abstand der Spitze von der Basis). Vergiss die Planfigur nicht!

a) b = 5 cm, s = 4 cm, h = ?   b) b = 4 cm, s = 5 cm, h = ?

c) b = 6 cm, h = 3 cm, s = ?   d) h = 4 cm, s = 6 cm, b = ?
  Zeichne die Basis und
  konstruiere die Spiegelachse.

d) h = 4 cm, s = 6 cm, b = ?
  Zeichne h, errichte im Endpunkt die Senkrechte nach beiden Seiten. Nimm s in die Zirkelspanne und schlage einen Kreisbogen um die Spitze.

Zeichne Rauten und miss die fehlenden Seiten a, e, f und die fehlenden Winkel. Falls du Schwierigkeiten hast, so lies die nachfolgenden Hilfen. Denke an die Planskizze!

a) e = 5 cm, a = 4 cm   b) a = 7 cm, e = 4 cm

c) a = 4 cm, e = 7 cm   d) e = 6 cm, f = 10 cm

e) e = 6 cm, f = 7 cm   f) e = 6 cm, f = 5 cm

g) a = 5 cm, α = 60°   h) α = 80°, e = 8 cm

Hinweis zu d): Beginne mit e, zeichne die Spiegelachse, denke an $\frac{f}{2}$.

Hinweis zu h): Bedenke, dass die Diagonale den Winkel halbiert. Wie kannst du den Punkt C benutzen? Oder beachte, dass f $\perp$ e.

Konstruktion einer Raute

Zur Konstruktion einer Raute genügen zwei geeignete Größen.

AUFGABE

11 Zeichne eine Raute (auf einem Blatt zum Ausschneiden) mit e = 7 cm, f = 7 cm. Was für eine Figur erhältst du? Miss die Seitenlängen.

Sonderform einer Raute

Eine Raute mit gleich langen Diagonalen ist ein Quadrat.

AUFGABE

12 Konstruiere eine Raute aus α = 70° (α liegt bei A). Die Seiten der Raute sind jeweils 5 cm lang. Wie lang sind die Diagonalen?

AUFGABE

13 Zeichne eine Raute auf zwei Wegen aus α = 70° und der Diagonalen e = 8 cm.

a) Bedenke dabei, dass in einer Raute gegenüberliegende Winkel gleich groß sind. Zeichne also α, halbiere, zeichne e und γ.

b) Zeichne noch einmal und bedenke dabei, dass die Diagonalen senkrecht aufeinander stehen und einander halbieren. Beginne mit α, halbiere α, zeichne e, halbiere e, ...

Zusammenfassung

Begriffe	Erläuterungen	Beispiele
Benennungen im Viereck	Im Viereck bezeichnet man die Eckpunkte allgemein mit ABCD. Ferner ist $\overline{AB}$ = a, $\overline{BC}$ = b, $\overline{CD}$ = c und $\overline{DA}$ = d. Für die Diagonalen gilt: $\overline{AC}$ = e und $\overline{BD}$ = f. Man kann aber auch andere Buchstaben benutzen.	
Spiegelachsen der Raute	Ein Viereck aus vier gleich langen Seiten heißt **Raute**. In einer Raute sind die **Diagonalen Spiegelachsen** und stehen senkrecht aufeinander. Als Spiegelachsen **halbieren** sie auch die Winkel und die Diagonalen.	
Gleichschenkliges Dreieck, Schenkel, Basis, Basiswinkel, Winkel an der Spitze	Eine Raute besteht aus zwei **gleichschenkligen** Dreiecken. Für ein solches Dreieck gilt: Die zwei gleich langen Seiten heißen **Schenkel**, die dritte Seite heißt **Basis** des gleichschenkligen Dreiecks. An der Basis liegen die gleich großen **Basiswinkel**. Der dritte Winkel heißt Winkel an der Spitze.	

Begriffe	Erläuterungen	Beispiele
rechtwinkliges Dreieck **Zerlegung der Raute**	Zeichnet man in einer Raute beide Diagonalen ein, so erhält man vier **rechtwinklige** Dreiecke. Diese Dreiecke kann man auf zwei Arten zu einem flächengleichen Rechteck zusammenlegen.	
Anzahl der Konstruktionsgrößen für eine Raute	Zur Konstruktion einer Raute genügt die Angabe zweier geeigneter Größen. Gilt e = f, so ist die Raute ein Quadrat. Die Diagonalen zerlegen ein Quadrat in vier **gleichschenklige, rechtwinklige** Dreiecke.	

Test der Grundaufgaben

Zeichne ein gleichschenkliges Dreieck mit der Basis 8 cm und einem Winkel an der Spitze von 50°. Wie groß sind die Basiswinkel? Miss die Länge der Schenkel.

Zeichne eine Raute und miss jeweils den stumpfen Winkel:

a) e = 8 cm; f = 10 cm

b) α = 50°; e = 9 cm

c) a = 7 cm; α = 40°

d) e = 8 cm; β = 110°

Ergänze richtig: Eine Diagonale zerlegt eine Raute in zwei …
Zeichnet man beide Diagonalen, so erhält man vier …

Rechteck und Raute

AUFGABE 1

Zeichne einen Kreis mit r = 4 cm und zwei sich schneidende Durchmesser. Verbinde die vier entstandenen Kreispunkte ABCD. Was für eine Figur entsteht?

AUFGABE 2

a) Zeichne ein Rechteck (Geodreieck) ABCD mit a = 8 cm, b = 6 cm und zeichne die Diagonalen ein. Den Schnittpunkt nenne M. Miss die vier Teilstrecken $\overline{AM}$, $\overline{BM}$, $\overline{CM}$, $\overline{DM}$.

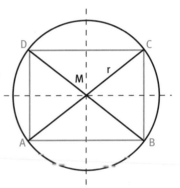

b) Konstruiere mit Zirkel und Lineal die zwei Spiegelachsen des Rechtecks und begründe, warum die vier Diagonalabschnitte gleich lang sind.

c) Zeichne einen Kreis um M durch ABCD.

Die folgenden vier Sätze drücken jeweils denselben Sachverhalt auf verschiedene Weise aus:

Gesetze im Rechteck

1. Im Rechteck liegen alle vier Eckpunkte gleich weit vom Schnittpunkt der Diagonalen entfernt.
2. Jedes Rechteck hat einen Umkreis.
3. Die Diagonalen des Rechtecks sind gleich lang und halbieren einander.
4. Jedes Rechteck hat zwei Spiegelachsen.

AUFGABE

3

Zeichne ein Rechteck aus a = 7 cm und der Diagonale e = 8 cm auf verschiedenen Wegen:

a) Beginne mit dem Umkreis um M (r = $\frac{e}{2}$) und zeichne die Strecke a als Sehne. Ergänze die Figur zum Rechteck und miss b.

b) Beginne mit a = 7 cm, errichte in B die Senkrechte und schlage einen Kreisbogen um A.

c) Löse entsprechend auf zwei Arten: a = $\overline{AB}$ = 6 cm, r = 4 cm.

Konstruktion eines Rechtecks

Zur Konstruktion eines Rechtecks genügen zwei geeignete Größen.

MERKE

AUFGABE

4

Zeichne Rechtecke. Miss a und b. Gegeben sind:

a) Diagonale e = 9 cm und der Winkel zwischen e und f, ∢ (e, f) = 30°;

b) die längere Seite a = 9 cm und der Winkel zwischen a und e, ∢ (a, e) = 22,5°;

c) die längere Seite a = 6 cm und der Winkel ∢ (e, f) = 40°.

Hinweis: Denke an die Parallele zu a durch den Schnittpunkte der Diagonalen. Beginne mit dem Winkel, halbiere ihn, $\frac{a}{2}$ hilft dir.

AUFGABE

5

a) Zeichne auf einem Blatt zum Ausschneiden ein Rechteck (a = 8 cm, b = 6 cm). Kennzeichne die Längen der Seiten und der Diagonalabschnitte wie in der Abbildung.

b) Schneide die Figur aus und zerschneide sie längs der Diagonalen. Wie viele gleichschenklige Dreiecke erhältst du?

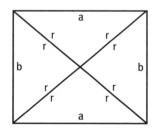

c) Lege die vier Dreiecke zu **zwei** Rauten zusammen (eine Raute hat vier gleich lange Seiten). Wie lang sind die Diagonalen und die Seiten der

d) Was kannst du über den Flächeninhalt der vier gleichschenkligen Teildreiecke sagen?

e) Zeichne noch einmal das Rechteck und klebe die zwei Rauten daneben.

AUFGABE 6

Zeichne ein Rechteck aus a = 8 cm, b = 6 cm, halbiere mit dem Lineal die vier Seiten und verbinde die vier Halbierungspunkte. Was für ein Viereck entsteht? Gib die Länge der Seiten und der Diagonalen dieses **Mittenvierecks** an.

Ergänzung: Dreieck zum Rechteck · MERKE

Du kannst jedes rechtwinklige Dreieck als ein halbes Rechteck ansehen und zum Rechteck ergänzen. Die lange Seite des Dreiecks ist dann Diagonale des Rechtecks und damit Durchmesser des Umkreises. Dessen Mittelpunkt halbiert diese Seite.

AUFGABE 7

a) Zeichne ein Dreieck ABC mit $\overline{AB}$ = c = 8 cm, dem Winkel α = 60° und β = 30°. Wo liegt der Mittelpunkt des Umkreises des entsprechenden Rechtecks? Zeichne diesen Kreis und ergänze mithilfe der Diagonalen zum Rechteck. Miss die Seitenlängen dieses Rechtecks.

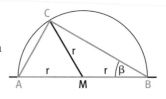

b) Zeichne Dreieck ABC mit c = 9 cm, a = 7 cm und γ = 90°. Mit welcher Größe kannst du anfangen? Zeichne, halbiere dann die Gegenseite des rechten Winkels. Zeichne den Umkreis und ergänze zum Rechteck. Welche Seitenlängen hat das Rechteck?

Satz des Thales · MERKE

Über dem Durchmesser eines (Halb-) Kreises ist jeder Randwinkel ein rechter Winkel.

AUFGABE

8

a) Zeichne ein halbes Rechteck ABC mit c = 8 cm und b = 5 cm. Der rechte Winkel liegt bei γ. Beginne mit c, halbiere c, zeichne den Halbkreis um diese Mitte von c. Miss die Winkel α und β und addiere sie. Kontrolliere, ob γ auch wirklich 90° ist.

b) Zeichne einen Halbkreis mit r = 5 cm und zeichne 6 rechtwinklige Dreiecke mit b = 3 cm (4 cm, 5 cm, 6 cm, 7 cm, 8 cm), die jeweils den Punkt C auf dem Halbkreis haben. Miss jeweils die Winkel α und β und addiere sie.

c) Zeichne ein rechtwinkliges Dreieck ABC mit c = 8 cm und α = 40°. Der rechte Winkel liegt bei C. Wie groß ist b? Zeichne den Umkreis und ergänze zum Rechteck. Gib die Längen der Rechtecksseiten und des Umkreisradius an.

AUFGABE

9

a) Zeichne eine Raute (e = 8 cm, f = 6 cm). Finde mit dem Lineal die Seitenmitten und verbinde diese vier Punkte.

b) Wie heißt das Viereck und wie lang sind die Seiten?

c) Zeichne die Spiegelachse der Figuren.

MERKE

Verhältnis Rechteck – Raute

Das Mittenviereck einer Raute ist ein Rechteck.
Das Mittenviereck eines Rechtecks ist eine Raute.

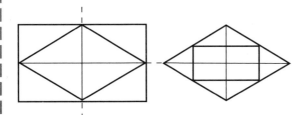

Zusammenfassung

Begriffe	Erläuterungen	Beispiele
Mittellinien, Spiegelachsen des Rechtecks, Umkreis	Verbindet man im Viereck die Mitten zweier gegenüberliegender Seiten, so heißt diese Linie Mittellinie. **Im Rechteck sind die zwei Mittellinien Spiegelachsen.** Also liegen alle vier Eckpunkte des Rechtecks gleich weit vom Schnittpunkt der Diagonalen entfernt. Die **Diagonalen** im Rechteck sind **gleich lang** und **halbieren einander.** Jedes Rechteck hat einen **Umkreis.**	
Anzahl der Konstruktionsgrößen für ein Rechteck	Zur Konstruktion eines Rechtecks ist die Angabe zweier geeigneter Größen notwendig. Beispiele: zwei Seiten a, b; eine Seite und eine Diagonale a, f; eine Diagonale und der Winkel zwischen den Diagonalen; eine Seite und der Winkel zwischen Seite und Diagonale.	2 Angaben

Begriffe	Erläuterungen	Beispiele
Satz des Thales **Über dem Durchmesser eines (Halb-)Kreises ist jeder Randwinkel ein rechter Winkel.**	Du kannst jedes recht-winklige Dreieck als hal-bes Rechteck deuten und zum Rechteck ergänzen. Die lange Seite ist dann Diagonale des Rechtecks und damit Durchmesser des Umkreises. Dessen Mittelpunkt halbiert diese Seite.	
Mittenviereck im Rechteck	Verbindet man die be-nachbarten Seitenmitten eines Rechtecks, so er-hält man eine Raute. Wir sagen: Das **Mitten-viereck** eines **Rechtecks** ist eine **Raute**. Entsprechend gilt: Das Mittenviereck einer Rau-te ist ein Rechteck.	

Test der Grundaufgaben

TESTAUFGABE

1

Zeichne die Rechtecke und miss die fehlenden Seiten a bzw. b.
a) r = 5 cm; ∢ (e, f) = 40°   b) a = 8 cm; e = 10 cm
c) r = 5 cm; a = 8 cm   d) e = 9 cm; ∢ (e, f) = 60°

TESTAUFGABE

2

Zeichne ein Rechteck mit a = 10 cm, b = 6 cm, das Mittenviereck und das Mittenviereck des Mittenvierecks. Welche Seitenlängen hat dieses?

TESTAUFGABE

3

Ergänze: Im Rechteck sind die …; in der Raute sind die … Spiegelachsen.
Eine Raute hat vier gleich lange …; ein Rechteck hat vier gleich …
Im Rechteck sind gegenüberliegende … gleich groß; in der Raute sind …

Der Streifen

AUFGABE
1

a) Zeichne mit dem Geodreieck einen **Streifen** im Abstand von h = 3 cm (siehe Abbildung).

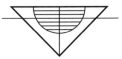

Konstruktion von Parallelen mit dem Geodreieck bei Abständen bis 4 cm

b) Auf diesen Parallelen sollen zwei Seiten eines Rechtecks liegen, dessen Diagonale e = 7 cm lang ist. Zeichne e und das Rechteck mit seinen Diagonalen. Färbe gleich große Teilwinkel mit gleicher Farbe.

c) Zeichne eine Gerade, auf der eine Diagonale liegt, lang durch und miss die vier spitzen Winkel, die diese mit den Parallelen bildet.

Streifen

MERKE

Eine Figur aus zwei Parallelen nennen wir Streifen.

Werden zwei Parallelen von einer Geraden nicht rechtwinklig geschnitten, so sind alle spitzen Winkel gleich groß und alle stumpfen Winkel gleich groß.

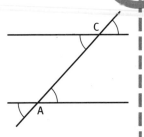

AUFGABE
2

Zeichne einen Streifen mit dem Abstand h = 5 cm nur mit Zirkel und Lineal.

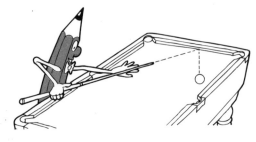

Gehe so vor:

> Zeichne g und errichte an zwei möglichst **weit** auseinander liegenden Punkten Senkrechte. Trage auf diesen den Abstand 5 cm ab und verbinde die zwei Endpunkte.
>
>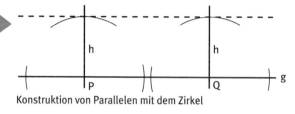
>
> Konstruktion von Parallelen mit dem Zirkel

b) Zeichne mit dem Geodreieck einen Streifen (h = 5 cm). Verfahre bei Abständen, die größer als 4 cm sind, wie folgt: Errichte mit dem Geodreieck an zwei möglichst weit entfernten Punkten die Senkrechten und miss 5 cm ab. Verbinde diese Punkte.

MERKE

Streifenhöhe

Im Streifen nennen wir den Abstand der Parallelen auch Höhe des Streifens und bezeichnen ihn mit h.

Die Figuren in dieser Abbildung wollen wir kurz „Parallelblitze" nennen. Die gleich großen Winkel eines Parallelblitzes gehören zu den Wechselwinkeln. Sie wechseln:

1. ihre Lage bezüglich der schneidenden Geraden | (links – rechts)

2. ihre Lage bezüglich der Parallelen (über – unter).

a) In der Abbildung gibt es auch zu dem mit 3 bezeichneten Winkel einen Wechselwinkel; dies ist der Winkel $\sphericalangle$ 5. Gib zu jedem Winkel den Wechselwinkel an: ($\sphericalangle$ 1 zu $\sphericalangle$ 7; $\sphericalangle$ 2 zu $\sphericalangle$ ...; $\sphericalangle$ 3; $\sphericalangle$ 4).

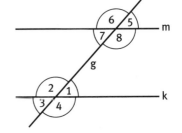

b) Das Paar Wechselwinkel 1;7 lässt sich auch so beschreiben:

$\sphericalangle$ 1 liegt über k rechts von g;

$\sphericalangle$ 7 liegt unter m links von g.

Beschreibe entsprechend die übrigen drei Paar von Wechselwinkel.

Wechselwinkel

An geschnittenen Parallelen sind Wechselwinkel gleich groß.

Unter den gleich großen Winkeln von Aufgabe 3 gibt es auch Paare, die man als Stufenwinkel bezeichnet. Der Stufenwinkel von Winkel 1 ist Winkel 5; der von Winkel 4 ist Winkel 8. Gib die zwei fehlenden Paare an.

Stufenwinkel

An geschnittenen Parallelen sind Stufenwinkel gleich groß.

a) Zeichne einen Streifen mit h = 3 cm und eine Querstrecke e = 6 cm. Diese soll Diagonale eines Vierecks werden. Ergänze die Figur zum Rechteck. Miss a, b.

b) Zeichne einen Streifen h = 3 cm, Diagonale e = 6 cm. Nun soll e die Diagonale einer Raute sein. Zeichne die zweite Diagonale f. Beachte die Diagonaleigenschaften. Miss f und a.

6

a) Zeichne einen Streifen mit h = 4 cm und die Querstrecke $\overline{AD}$ mit α = 70°. Wie lang ist die Querstrecke $\overline{AD}$?

b) Zeichne auf transparentem Papier die gleiche Figur. Lege diesen zweiten Streifen auf den Streifen aus Aufgabe a) und verschiebe ihn längs der Parallelen um 7 cm. Wie verhalten sich die Querstrecken und der Winkel α?

MERKE

Parallelverschiebung

Bei einer Verschiebung längs einer Geraden geht jede Gerade in eine Parallele über. Eine solche Abbildung heißt Parallelverschiebung. In Streifen sind parallele Querstrecken gleich lang.

7

a) Zeichne eine Parallelenschar von fünf Parallelen. Der Abstand zweier Parallelen soll jeweils 2,5 cm betragen. Zeichne eine Quergerade g, die die Schar unter einem Winkel von α = 60° schneidet. Miss die Querstrecken q, die die Schar aus g ausschneidet.

b) Zeichne durch den Randpunkt P weitere Quergeraden, die die Schar unter einem Winkel von 30° (45°, 75°) schneiden und miss jeweils die Abschnitte zwischen den Parallelen.

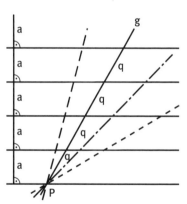

MERKE

Parallelenschar

Eine Schar von Parallelen mit gleichen Abständen schneidet aus einer Quergeraden gleich lange Abschnitte heraus.

8

Zeichne einen Streifen h = 6 cm und eine Mittenparallele, d.h. eine dritte Parallele, die zu jeder der beiden Streifengeraden den Abstand $\frac{h}{2}$ = 3 cm hat. Zeichne durch den Randpunkt P Quergeraden im Winkel von 30° (45°, 60°, 75°) und miss jeweils die zwei Abschnitte a_1, a_2.

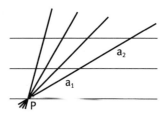

MERKE

Mittenparallele

Im Streifen halbiert die Mittenparallele jede Querstrecke.

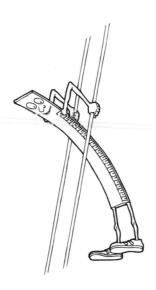

Zusammenfassung

Begriffe	Erläuterungen	Beispiele
Streifen	Eine Figur aus zwei Parallelen nennen wir **Streifen**.	
Winkel an geschnittenen Parallelen, Stufenwinkel, Wechselwinkel	Werden zwei Parallelen von einer Geraden nicht rechtwinklig geschnitten, so sind **alle spitzen Winkel gleich groß** und **alle stumpfen Winkel gleich groß**. Diese Winkel heißen auch Stufen- bzw. Wechselwinkel. Die Winkel, die wie Stufen an einer Treppe liegen, heißen **Stufenwinkel**. **Wechselwinkel** wechseln ihre Lage a) bezüglich der schneidenden Geraden (links – rechts) b) bezüglich der Geraden des Streifens (oben – unten). An geschnittenen Parallelen sind alle Stufenwinkel bzw. alle Wechselwinkel gleich groß.	 Stufenwinkel Wechselwinkel
Querstrecken im Streifen	Im Streifen sind parallele Querstrecken gleich lang. Zeichnet man in einem Streifen die Mittelparallele, so wird **jede** Querstrecke des Streifens **halbiert**.	

Begriffe	Erläuterungen	Beispiele
Schar von Parallelen mit gleichem Abstand	Erweitert man diese Figur zu einer **Schar von Parallelen mit gleichem Abstand**, so schneidet eine Quergerade gleich lange Abschnitte heraus.	
Parallelverschiebung	Bei einer Verschiebung der Ebene längs einer Geraden geht jede Gerade in eine dazu parallele Gerade über. Jede Strecke wird in eine parallele Strecke abgebildet. Eine solche Abbildung heißt **Parallelverschiebung**.	

Test der Grundaufgaben

TESTAUFGABE

1 Zeichne einen Streifen der Breite b = 3 cm und eine Quergerade, die eine Querstrecke von 6 cm ausschneidet. Miss die auftretenden Winkel.

TESTAUFGABE

2 Zeichne eine Schar von 4 Geraden mit einem jeweiligen Abstand von 2 cm. Zeichne eine Quergerade, die diese Schar unter 67,5° schneidet. Wie lang sind die gleich langen Abschnitte?

TESTAUFGABE

3 Ein Streifen g, h der Breite b = 4 cm wird von einer Quergeraden q unter 70° geschnitten. (∢ (h, q) = 70°).

a) Winkel 1 liegt rechts von q und über h. Winkel 2 liegt rechts von q und über g. Wie heißen solche Winkel?

b) Winkel 3 liegt unter h und rechts von q, der Winkel 4 liegt über g und links von q. Wie heißen solche Winkel? Zeichne und nummeriere sie.

Das Parallelogramm

Parallelogramm

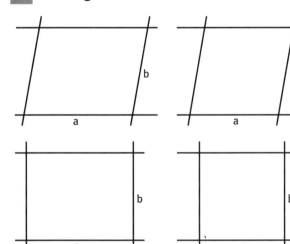

Schneiden sich zwei Streifen, so entsteht ein Viereck, dessen Gegenseiten parallel verlaufen. Ein Viereck mit parallelen Gegenseiten heißt **Parallelogramm**. Durch besondere Bedingungen entstehen die geometrischen Formen von Raute, Rechteck und Quadrat.

AUFGABE

1 a) Begründe und folgere: (Wechselwinkel, Stufenwinkel, Nebenwinkel oder Scheitelwinkel?)

$\alpha = \beta'$, weil ...
$\beta' = \gamma$, weil ...
also $\alpha = ...$

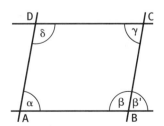

b) $\beta' + \beta = ...$, weil ...
   also auch $\alpha + \beta = ...$

c) $\alpha + \beta = ...$ und $\beta + \gamma = ...$
   $\gamma + \delta = ...$ und $\delta + \alpha = ...$
   $\alpha + \beta + \gamma + \delta = ...$

MERKE

Gesetze im Parallelogramm

Im Parallelogramm sind je zwei gegenüberliegende Winkel gleich groß. Je zwei benachbarte Winkel ergänzen sich zu 180°. Die Winkelsumme im Parallelogramm beträgt 360°.

AUFGABE

2

a) Zeichne $\alpha = \sphericalangle (k, l) = 75°$. Zeichne zu k eine Parallele im Abstand von $h_1 = 3$ cm und zu l eine Parallele im Abstand von $h_2 = 4$ cm. Hebe das entstandene Parallelogramm farbig hervor.

b) Miss die Seiten und die vier Winkel des Parallelogramms.

c) Vergleiche Länge der Querstrecke und Breite des Streifens.

AUFGABE

3

a) Zwei Streifen ($h_1 = 3$ cm und $h_2 = 5$ cm) schneiden sich unter einem Winkel von 35°. Miss Seiten und Winkel des Parallelogramms.

b) $h_1 = 7$ cm, $h_2 = 9$ cm, $\alpha = 80°$; löse genauso.

AUFGABE

4

a) Zeichne zwei gleich breite Streifen mit $h_1 = h_2 = 6$ cm, die sich unter einem Winkel von $\alpha = 70°$ schneiden. Miss die Seiten und die Diagonalen des entstandenen Vierecks.

b) $h_1 = h_2 = 4$ cm, $\alpha = 35°$. Löse genauso.

MERKE

Sonderform des Parallelogramms

Das Parallelogramm, das durch den Schnitt zweier **gleich breiter** Streifen entsteht, ist eine Raute.

AUFGABE

5

a) Wie heißt der entsprechende Merksatz für das Rechteck?

b) Zeichne ein Rechteck als Schnitt zweier Streifen h_1 = 3 cm und h_2 = 4 cm. Wie lang sind die Diagonalen?

c) Vervollständige: Wenn das Parallelogramm ein Quadrat sein soll, müssen sich die Streifen ... schneiden und ... sein. (Winkel, Breite)

AUFGABE

6

a) Zeichne einen Streifen mit h = 4 cm und einer Querstrecke $\overline{AC}$ = e = 7 cm. Halbiere die Strecke $\overline{AC}$ in Z. Bestimme die Punkte B und D so, dass ein „Z" entsteht und $\overline{AB}$ = $\overline{CD}$ = 5 cm ist (s. Abbildung).

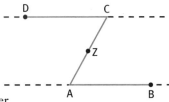

b) Zeichne diese Z-Figur auf Transparentpapier und lege sie auf die erste Figur. Nimm deine Zirkelspitze, halte den Punkt Z damit fest und drehe die obere Figur, bis sie mit der anderen Figur wieder zur Deckung kommt.

c) Um wie viel Grad musst du drehen?

d) Welche geometrische Figur wird durch die Punkte ABCD bestimmt?

e) Was ist $\overline{BD}$ in dieser Figur?

f) Was macht Z mit dieser Strecke $\overline{BD}$?

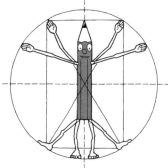

MERKE

Punktsymmetrie

Ein Parallelogramm kommt durch eine Halbdrehung mit sich zur Deckung. Man sagt: Ein Parallelogramm ist punktsymmetrisch. Im Parallelogramm halbieren die Diagonalen einander.

a) Konstruiere die nebenstehende Abbildung mit folgenden Maßen: ∢ (k, l) = 30°, ∢ (l, m) = 20°, $\overline{ZP}$ = 5 cm,
$\overline{ZQ}$ = 7 cm, $\overline{ZR}$ = 2 cm. Miss die Seiten des Dreiecks
PQR.

b) Drehe die Figur in Z um 180°, d.h. drehe jede Gerade
durch Z um 180°. Du erhältst die Punkte P′, Q′ und
R′. Miss die Seitenlängen des Dreiecks P′Q′R und vergleiche mit dem Dreieck PQR.

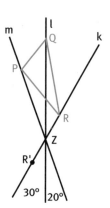

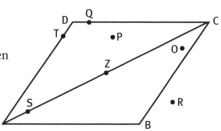

Achsenspiegelung und Punktspiegelung

Eine Halbdrehung heißt auch Punktspiegelung,
weil die Konstruktion an die Spiegelung erin-
nert. Eine Punktspiegelung an Z hat nur Z als
Fixpunkt. Jede Gerade durch Z ist eine Fixgerade. Für jeden Punkt P und seinen Spiegel-
punkt P′ gilt $\overline{PZ} = \overline{ZP'}$.

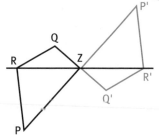

Spiegelung an der Achse s:
s ist Fixpunktgerade.
Alle Geraden senkrecht zu s sind
Fixgeraden.
Für jeden Punkt P und seinen
Bildpunkt P′ gilt:
Der Abstand P von s ist gleich dem
Abstand P′ von s.

Punktspiegelung am Punkt Z:
Z ist Fixpunkt.
Alle Geraden durch Z sind
Fixgeraden.
Für jeden Punkt P und seinen
Bildpunkt P′ gilt:
Der Abstand P von Z ist gleich dem
Abstand P′ von Z.

---

a) Zeichne ein Parallelogramm mit
a = 7 cm, β = 125°, e = 9 cm und den
Punkten O, P, Q, R, S, T wie in der
Abbildung.

b) Kennzeichne die Punkte, die durch eine Punktspiegelung an Z entstehen mit O′, P′, Q′, R′, S′ und T′.

c) Was sind die Spiegelpunkte von D, B und C?

AUFGABE

9

Zeichne drei Dreiecke PQR mit $\overline{PQ}$ = 7 cm, $\overline{QR}$ = 4 cm, $\overline{RP}$ = 6 cm. Ergänze sie jeweils zu einem Parallelogramm, indem du das Symmetriezentrum Z

a) auf die Mitte von $\overline{QR}$ legst,

b) auf die Mitte von $\overline{RP}$ legst,

c) auf die Mitte von $\overline{PQ}$ legst.

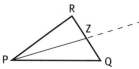

Benutze die Diagonaleigenschaften des Parallelogramms.

Vom Dreieck zum Parallelogramm

Eine Halbdrehung (Punktspiegelung) eines Dreiecks um die Mitte einer Seite erzeugt ein Parallelogramm.

MERKE

AUFGABE

10

a) Was wird jeweils aus den Dreiecksseiten im Parallelogramm (siehe Aufgabe 9), wenn du das Dreieck an der Mitte der Seite a punktspiegelst?

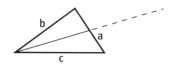

b) Wie muss das Dreieck aussehen, damit (durch Punktspiegelung an der Mitte einer Seite) ein Rechteck entsteht? An welcher Seite musst du punktspiegeln?

c) Wie sieht das Dreieck aus, das durch eine Punktspiegelung eine Raute erzeugen kann? An welcher Seitenmitte musst du punktspiegeln?

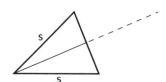

d) Zeichne ein Dreieck aus α = 90°, $\overline{AB}$ = 4 cm, $\overline{BC}$ = 5 cm. Zu welcher Figur (Raute oder Rechteck) kannst du es durch Punktspiegelung ergänzen? Führe dies durch.

11 Zeichne ein Dreieck ABZ aus $\overline{AB}$ = 7 cm, $\overline{BZ}$ = 5 cm, $\overline{ZA}$ = 6 cm und punktspiegele es an Z. Was für eine Figur ist das Viereck ABA′B′? Was wird aus den Dreiecksseiten in diesem Viereck? Miss die Seiten.

12 a) Zeichne ein Dreieck ABC aus c = 4 cm, a = 6 cm, b = 5 cm dreimal und spiegele es jeweils an einem Eckpunkt. Miss die Seiten und Winkel der entstandenen Parallelogramme.

b) Zeichne das Dreieck wie oben und zeichne die drei Punktspiegelungen.

13 Gib die Diagonaleigenschaften an für

a) Parallelogramm (eine Eigenschaft)

b) Rechteck (zwei Eigenschaften)

c) Raute (zwei Eigenschaften)

d) Quadrat (drei Eigenschaften)

e) Schreibe drei richtige Sätze, aber überlege die Reihenfolge der Wörter:
Jedes ... ist ein ... (Parallelogramm/Rechteck oder Rechteck/Parallelogramm?),
(Raute/Quadrat), (Quadrat/Parallelogramm).

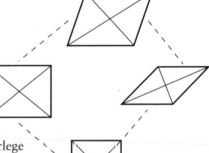

Grundeigenschaften des Parallelogramms

Ein Viereck mit zwei Paar gleich langen Gegenseiten ist ein Parallelogramm.
Ein Viereck mit einem Paar gleich langen parallelen Gegenseiten ist ein Parallelogramm.

MERKE

---

14 a) Für die Konstruktion eines Parallelogramms benötigt man im Allgemeinen **drei** Angaben. Warum genügen die folgenden drei Angaben nicht?
a = 7 cm, b = 5 cm, c = 7 cm

b) Welche Größen sind durch die Angabe $\alpha = 75°$ für ein Parallelogramm jeweils mitgegeben?

c) Warum kommst du mit der Angabe $\alpha = 75°$, a = 5 cm für ein Parallelogramm nicht aus? Zeichne zwei verschiedene Parallelogramme, die diesen Angaben entsprechen.

AUFGABE
15
Zeichne Parallelogramme und miss die fehlenden Angaben. Fertige dir jeweils vorher eine Planskizze an: Kennzeichne die gegebenen Größen durch einen Doppelstrich.

a) a = 6 cm, e = 8 cm, f = 5 cm   b) a = 6 cm, $\alpha = 25°$, b = 3 cm

c) a = 5 cm, $\alpha = 55°$, b = 4 cm   d) e = 5 cm, f = 8 cm, $\sphericalangle$ (e, f) = 30°

e) a = 7 cm, e = 8 cm, f = 8 cm   f) a = 5 cm, b = 5 cm, f = 4 cm

g) Was fällt dir an Aufgabe e) und f) auf?

AUFGABE
16
Wie viele geeignete Angaben benötigst du im Allgemeinen um folgende Figuren zu konstruieren?

a) ein Quadrat   b) ein Rechteck

c) eine Raute   d) ein Parallelogramm

AUFGABE
17
Quadrat, Rechteck, Raute oder Parallelogramm?

a) Zeichne ein … mit e = 7 cm.
Wie muss der Satz heißen, wenn das Viereck nur mit der Angabe von e konstruierbar ist? Zeichne.

b) Zeichne ein … aus a = 7 cm, $\sphericalangle$ (e, f) = 35°.
Warum kann die Figur keine Raute sein? Denke an die Winkelhalbierende und zeichne.

c) Zeichne ein … mit a = 7,5 cm und e = 9 cm.
Was könnte hier gemeint sein? Zeichne beide Möglichkeiten.

18 Zeichne ein Parallelogramm mit a = 5 cm, b = 3 cm, e = 7 cm.

a) Zeichne um den Schnittpunkt Z der Diagonalen einen Kreis, der durch B und D geht. Was fällt dir auf?

b) Zeichne ein Parallelogramm mit a = 4 cm, b = 3 cm, e = 5 cm und verfahre wie oben.

> Ein Parallelogramm hat nur dann einen Umkreis, wenn es ein Rechteck ist.

19 a) Zeichne ein Parallelogramm mit a = 6 cm, b = 4 cm, α = 55°. Spiegele die Figur an der Diagonalen $\overline{AC}$ = e. Zeichne das Urbild, die Spiegelachse und das Spiegelbild jeweils andersfarbig. Miss $\overline{BB'}$.

b) Zeichne dasselbe Parallelogramm wie in Aufgabe a); spiegele diesmal an $\overline{BD}$ = f. Miss $\overline{AA'}$.

> Bei einem Parallelogramm, das keine Raute ist, sind die Diagonalen nicht Spiegelachsen.

Zusammenfassung

Begriffe	Erläuterungen	Beispiele
Parallelogramm	Schneiden sich zwei Streifen, so entsteht ein Viereck mit parallelen Gegenseiten, ein **Parallelogramm**. Im **Parallelogramm** sind je zwei gegenüberliegende Winkel gleich groß, zwei benachbarte Winkel ergänzen sich zu 180°. Die Winkelsumme beträgt, wie in jedem Viereck, 360°. Das Parallelogramm, das durch den Schnitt zweier **gleich breiter Streifen** entsteht, ist eine **Raute**.	$50° + 130° = 180°$ $2 \cdot 50° + 2 \cdot 130° = 360°$
punktsymmetrisch, Halbdrehung	Das Parallelogramm ist punktsymmetrisch. Eine Halbdrehung um den Schnittpunkt der Diagonalen bringt es mit sich zur Deckung. Das bedeutet, dass die **Diagonalen einander halbieren**.	$l = l; m = m$
Punktspiegelung an Z	Eine **Halbdrehung** um einen Punkt Z heißt auch **Punktspiegelung an Z**. Es gilt: Z ist Fixpunkt. Alle Geraden durch Z sind Fixgeraden.	

Begriffe	Erläuterungen	Beispiele
	Für jeden Punkt A und seinen Bildpunkt A' gilt: **Z halbiert den Abstand von der Strecke $\overline{AA'}$.** Eine Punktspiegelung ist **orientierungserhaltend.** So konstruierst du eine Punktspiegelung: Verbinde jeden Punkt der Figur mit dem Drehpunkt Z. Verlängere $\overline{PZ}$ über Z hinaus und trage den Abstand $\overline{PZ}$ noch einmal an.	
Erzeugung von Parallelogrammen durch Punktspiegelungen an Ecken oder Seitenmitten	Wenn du ein Dreieck an der Mitte einer Seite punktspiegelst, d.h. um die Mitte einer Seite drehst, so entsteht ein Parallelogramm. Du kannst jede Seite dazu verwenden. Wenn du dazu Sonderformen von Dreiecken nimmst, so entstehen auch Sonderformen von Parallelogrammen. Um ein Rechteck zu erhalten musst du ein rechtwinkliges Dreieck um die längste Seite drehen. Drehst du ein gleichschenkliges Dreieck um die Basis, so entsteht eine Raute.	

Begriffe	Erläuterungen	Beispiele
Diagonalen im Parallelogramm	Eine Punktspiegelung eines Dreiecks an einem Dreieckspunkt ergibt eine Figur, die du leicht zu einem Parallelogramm ergänzen kannst. Auch hierbei können Sonderformen auftreten. Die beiden am Drehpunkt Z anliegenden Dreiecksseiten bestimmen die Diagonalen des Parallelogramms. Diese **Diagonalen werden in Z halbiert.** Sind sie **gleich lang**, so entsteht **ein Rechteck.** Stehen sie **rechtwinklig** aufeinander, so entsteht eine **Raute.** Sind sie **gleich lang und** stehen sie **rechtwinklig** aufeinander, so entsteht ein **Quadrat.**	3 Angaben 2 Angaben 2 Angaben 1 Angabe
Gibt es Spiegelachsen im Parallelogramm?	Du solltest wissen, dass die **Diagonalen** im Parallelogramm im Allgemeinen **keine Spiegelachsen** sind. Nur wenn das Parallelogramm eine Raute ist, sind die Diagonalen Spiegelachsen. Für die **Mittellinien** gilt: Nur wenn das Parallelogramm ein Rechteck ist, sind die Mittellinien des Parallelogramms Spiegelachsen.	

Begriffe	Erläuterungen
Anzahl der Konstruktionsgrößen	Zur Konstruktion eines Parallelogramms benötigst du drei geeignete Größenangaben. Für ein Rechteck oder eine Raute benötigst du zwei Angaben und für ein Quadrat eine Angabe.

Test der Grundaufgaben

TESTAUFGABE

1

Zeichne ein Parallelogramm aus a = 8 cm, b = 5 cm und α = 120°. Zeichne die Diagonalen ein und miss deren Längen. Hebe die Verbindung der Punkte DCAB (Parallelenblitz) farbig hervor. Wo liegt der Drehpunkt dieser Figur?

TESTAUFGABE

2

Zeichne Dreieck ABZ mit $\overline{AB}$ = 7 cm, $\overline{BZ}$ = 4 cm und ∢ $(\overline{AB}, \overline{BZ})$ = 80°. Führe eine Punktspiegelung an Z aus. Gib die Maße des so bestimmten Parallelogramms an.

TESTAUFGABE

3

Zeichne Dreieck ABC mit $\overline{AB}$ = 8 cm, α = 60° und β = 45°, halbiere b in Z und punktspiegele das Dreieck an Z. Welche Maße hat das Parallelogramm?

TESTAUFGABE

4

Konstruiere die Parallelogramme

a) a = 6 cm; e = 9 cm; α = 50°   b) a = 6 cm; e = 6 cm; f = 8 cm

c) e = 8 cm; f = 6 cm; ∢ (e, f) = 45°   d) a = 5 cm; e = 8 cm; ∢ (a, e) = 30°

TESTAUFGABE

5

Vervollständige:

Im Parallelogramm … die Diagonalen einander.

In der Raute … die Diagonalen … und stehen …

Im Rechteck … die Diagonalen … und sind …   Im Quadrat …

Wenn ein Parallelogramm einen Umkreis hat, dann ist es ein …

Wenn im Parallelogramm die Diagonalen Spiegelachsen sind, dann ist es …

Wenn im Parallelogramm die Mittellinien Spiegelachsen sind, dann …